D0542921

afgeschreven

Het midden van nergens

Yvonne Deinert

Uitgeverij LetterRijn Leidschendam

Eerste druk, mei 2014

Auteur: Yvonne Deinert
Redactie: Jolka de Jong en Theo van Rijn
Grafische vormgeving: Podivium, Haarlem
Drukwerk: Grafistar, Lichtenvoorde
Uitgeverij: LetterRijn
www.letterrijn.nl

ISBN: 978-94-91875-02-1

Inhoudsopgave

1

Al weken wil ik over niets anders praten. Toch is het me gelukt te zwijgen. Na vanavond zal het nog moeilijker zijn, maar ik weet zeker dat dit het waard is.
Donja vetert het lijfje van mijn jurk zo strak mogelijk.
'Je bent te dun.'
'Dat weet ik ook wel.' Bijna flap ik eruit dat zij te dik is, maar ik wil de avond niet verpesten. Ik ben allang blij dat ik een van haar jurken kan lenen, anders kom ik niet eens binnen. Dit keer kies ik de donkergroene, die kleurt volgens haar het mooist bij mijn ogen.
'Het wordt tijd dat je er zelf een koopt,' zegt ze. Alsof ik dat niet weet. Donja vist een zwart fluwelen lint uit een van haar laatjes.
'Vanavond trekken we het lijfje hiermee wel strak.'
Ik draai rondjes voor de spiegel en gooi mijn zwarte haar over mijn schouders. Mijn rijglaarsjes staan er super onder. Precies zoals ik had gedacht. En mam gister maar zeuren dat sneakers veel sportiever staan onder een spijkerbroek. Kon ik maar altijd zo zijn. Niemand die mijn spillebenen en sprietarmen ziet. Ik haal diep adem.
'Hoe zal ik mijn haar doen?'
Donja gooit een zwarte jurk over haar hoofd. Haar rode haarextentions steken mooi af bij het zwart.
'Los natuurlijk, dan maak je de meeste kans.'
'Op wat?'

‘Op geld voor een jurk.’
‘Hoezo?’
‘Dinky zei, dat Ard ook komt.’
‘Ja, en?’
‘Ik stel je wel aan hem voor.’ Donja pakt haar potje met superblanke foundation. ‘Hij is best chill. Vorig jaar was hij er ook.’ Ze reikt me het potje aan. ‘Jij?’
Ik neem een klein kloddertje en verspreid het over mijn gezicht. Werkt meteen mijn puisten weg.
‘Een vriend van je broer?’
‘Yep, met geweldig blauwe ogen.’
‘Ik hou niet van blauwe ogen.’
‘Wacht maar tot je ze gezien hebt.’ Donja trekt met haar kohlpotlood een donkere rand. Zij kan dat altijd veel beter dan ik.

‘Zijn jullie al klaar?’ Donja’s moeder klopt op de deur. ‘Ik moet zo weg, dus als jullie nog willen meerijden…’
‘We komen.’ Snel doet Donja ook mijn make-up. We spuiten een luchtje op onze hals en zijn klaar om te gaan.
‘Jullie zien er weer geweldig uit,’ zegt Donja’s moeder.
Mijn moeder zou vragen of het carnaval was of zo. Daarna zou ze me verbieden de deur uit te gaan.

Na een korte rit draait Donja’s moeder haar oude Volvo het fabrieksterrein op. Knalgroene letters knipperen in het donker *MASJIEN TIEN*.
‘Om twee uur kom ik jullie halen. Bel me als er iets is of ga naar Dinky. En zeg hem trouwens dat hij zijn wasgoed moet komen halen. Dat ligt al een week klaar.’
Als we uitstappen hoor ik de muziek uit de fabriekshal over het

terrein golven. Ik voel een lichte kramp in mijn buik. Is het echt zo gaaf als Donja heeft verteld? Laat pap en mam maar denken dat ik op het schoolfeest ben. Saai! In *Masjien Tien* gebeurt het! Donja zwaait haar moeder uit en danst tussen de auto's door, als een nachtnimf in het licht van de bijna volle maan.
'Kom!' Ze draait zich om naar een brommer die op haar afscheurt. De bestuurder omhelst haar. 'Dit is Beer,' overschreeuwt ze het geluid van de motor. 'Beer, dit is Pasca, een vriendin.' Beer doet zijn helm af en omhelst me alsof hij me al jaren kent.

Donja geeft onze kaartjes af en met z'n drieën lopen we de fabriekshal in. Het is er donker en op sommige plekken helrood en paars verlicht. Midden in de hal staat een stellage met stalen trappen rondom een gigantische machine. De machine is volgekalkt met fluorescerende getallen: tienen in geel, groen, oranje en roze. Zoiets heb ik nog nooit gezien. Het is vast heel oud, behalve die tienen dan. Een drumsolo vult de ruimte. Als de heldere stem van een zangeres zich bij het ritme voegt, krijg ik kippenvel. Het moet heerlijk zijn om daar zo te staan. Donja en Beer geven zich meteen over aan de dansende menigte. Donja roept me ook te komen, maar er is zoveel. Aan tien paar oren en honderd paar ogen zou ik nog niet genoeg hebben. Deze wereld ken ik alleen van foto's op internet. Pas nu dringt tot me door dat ze real-life zijn. *Mijn* real-life. Jongens in lange, leren jassen, witte gezichten met zwarte getekende tranen. Of zoals Beer, die een heel ander soort goth is met zijn strakke zwarte broek, zwarte laarzen en een lila blouse met ruches. Volgens mij heeft hij zelfs mascara op. Aan de rand van de dansende massa staan meisjes met glimmende korte rokjes, bustiers en netkousen. Het lijkt of ze hondenriemen om hun polsen en nek hebben. Ik moet oppassen dat mijn mond niet openvalt. Zoveel goths bij elkaar. Zullen die er altijd zo uitzien?

De muziek neemt steeds meer ruimte en zweept de dansers op. Bij de trappen van de machine zie ik Dinky. De rood-paarse spots kleuren zijn witte overhemd. Net als Beer draagt hij een strakke zwarte broek en laarzen, alsof hij te paard is gekomen. Ik worstel me zijn kant op. Wanneer ik eindelijk de trap heb bereikt, ziet hij mij ook en gebaart me naar boven te komen.

'Hé Passie!' Zo noemt hij me altijd. 'Mooi dat je thuis kon ontsnappen. Je ziet er super uit. Waar is mijn zusje?'

'Dansen.' Vanaf de balustrade is het uitzicht met zo'n dansende massa onder me geweldig. Grinnikend moet ik denken aan de balkonscène van een of andere koning of koningin. En ik was de prinses. Of beter: Assepoester, want eigenlijk mocht ik niet. Waardeloos trouwens dat Dinky het weet, zo lijk ik wel een kleuter. Weer kon Donja haar mond niet houden.

'Passie, dit is Ard,' schreeuwt Dinky in mijn oor. Naast Dinky staat de prins uit Assepoester, met een lange, getailleerde jas van zwart fluweel en een hemelsblauw overhemd. Twee net zo blauwe ogen kijken me aan.

'Mooie naam, Passie. Doe je die naam ook eer aan?' vraagt hij met een accent dat niet van hier is.

'Dat zou je wel willen. Helaas, ik heet gewoon Pasca,' antwoord ik, verrast door mijn eigen reactie. Die had ik in gewone kleren nooit gegeven. Dé Ard. Maar wat heeft hij te maken met geld verdienen?

'Jullie vermaken je wel, hè. En Ard, handen thuis!' Dinky geeft me een knipoog en loopt weg.

Shit. Mijn hoofd moet als een vuurbol zijn. Hopelijk is het te donker om dat te zien.

Een tijdje staan Ard en ik naast elkaar. We kijken naar het spektakel beneden. Volgens mij voel ik zijn ogen langs mijn lichaam glijden, maar ik durf het niet te checken.

'Dansen?'

Ik aarzel, maar nee zeggen kan niet, wil ik niet.

'Hier of beneden?' vraagt hij.

'Beneden.' Het idee alleen al, iedereen kan ons hier zien. Bovendien is Donja beneden, ze moet me over hem vertellen. Snel scan ik alle hoofden. Ik klim de trap af en loop haar kant op. Ard volgt zonder iets te vragen. Als Donja ons ziet, danst ze ons lachend tegemoet.

'Jullie hebben elkaar al ontmoet. Top.' Ze omhelst Ard. 'Heeft Pasca al gezegd dat ik het over je heb gehad?'

Niks zeggen, sein ik haar.

Ard schudt zijn hoofd.

'O?' Zijn blik verschuift van Donja naar mij en weer terug.

'Nu wil je vast weten wat ik heb gezegd,' daagt Donja hem uit, 'maar dat vertel ik lekker niet.'

'Dan niet.' Theatraal draait Ard zich om. 'We gingen toch dansen? Kom!' Hij pakt mijn hand en trekt me de vloer op.

Er is niet veel ruimte, waardoor ik dichter bij hem sta dan ik wil. Ik maak mijn bewegingen zo klein mogelijk. Helemaal stilstaan is ook zo idioot. Steeds vaker voel ik dat onze lichamen elkaar raken. De afwisseling van aantrekkingskracht en afstoting verwarren me. Stiekem kijk ik naar hem. Betrapt! Ik doe of het toeval is, maar ons oogcontact zorgt voor een tinteling van mijn kruin tot mijn tenen.

Donja, help!

De muziek gaat over in een luid gejuich en gejoel. Ik neem mijn

kans en haast me naar Donja en Beer.
'Moet even naar de wc,' roep ik Ard toe.

'Ik dacht dat jij niet van blauwe ogen hield,' plaagt Donja.
'Kom mee.' Ik negeer haar vragende blik. Gelukkig is ze nieuwsgierig genoeg om me te volgen.
Voor het eerst ben ik blij met tl-verlichting. Ik kijk Donja strak aan en vraag:
'Wat hebben Ard en geld verdienen met elkaar te maken?'
'Wat bedoel je?'
'Jij wilde me voorstellen aan Ard, om kleedgeld te verdienen.'
'O, dat. Rustig maar. Ik verkoop je niet hoor.'
'Logisch, maar wat dan wel?'
'Ard is fotograaf, hij komt uit Berlijn. Vorig jaar ben ik model geweest. Honderd euro mee verdiend. Da's al bijna een jurk of als je geluk hebt een uitverkoopje.' Donja bekijkt zich in de spiegel en schudt haar haar door de war. 'Ik zal hem zo vragen of hij met jou een sessie wil doen.'
'Nee, niet doen. Dat kan ik zelf wel, áls ik het wil.' Ik loop een vrij toilet in. Nu ik er toch ben, kan ik ook even plassen. En nadenken. Het is twaalf uur. Nog twee uur. Ik sluit mijn ogen. Ze zijn nu al moe van alles wat er te zien is.

'Wat vind je van Beer?' vraagt Donja als we weer naar de hal lopen.
'Geen idee, ik heb hem amper gezien.'
'Hij is lief, joh. En tenminste niet zo'n jochie.'
Waarom kan ik niet gewoon zo verliefd worden als Donja? Ik twijfel altijd of het wel echt is, of ik het wel wil, en of ik me niet vergis. Donja heeft dat nooit. Zij doet, ik denk.

Beer en Ard staan ons op te wachten, ieder met twee glazen in hun hand.
'Colaatje?' Ard reikt me het volle glas. Uit zijn binnenzak vist hij een plat flesje. 'Met wat schnaps?'
Ik leg mijn hand op het glas.
'Nee, zo is het goed.'
Donja bedankt Beer met een zoen. Ik neem snel een slok, voor Ard hetzelfde verwacht. Een fotosessie lijkt me supergaaf, zelfs zonder er geld mee te verdienen, maar hij zal mij nooit vragen. Ik ben veel te plat. Anorexiafoto's.

'Kom dansen.' Donja trekt me weg van Ard.
We dansen een paar lange nummers achterelkaar door en zingen mee alsof wij op het podium staan. De drum voel ik tot in mijn buik. De stem van de zangeres klinkt breekbaar en krachtig tegelijk. Langzaam voel ik me meer relaxed, al blijven de ogen van Beer en Ard prikken. Ik probeer er niet op te letten en draai mijn rug naar hen toe. Het liefst zou ik verder in de menigte verdwijnen, maar Donja wil hier blijven. Zeker Beer in de gaten houden.
'Hij kijkt naar je,' overschreeuwt Donja de muziek.
'Pech.'
'Hij vindt je leuk.'
Ik haal mijn schouders op.
'Veel te oud.'
'Welnee, hij is twintig of zo. Misschien net zo oud als Beer. Vijf jaar verschil. Kan best.'
'Mijn moeder ziet me aankomen.'
'Het gaat toch niet om haar.'Ik bijt mijn tong bijna af en laat me meevoeren op de muziek. Typisch een Donja-opmerking.

Even na twee uur stappen we naar buiten. De Volvo van Donja's moeder staat al te wachten.
'Leuk gehad, meiden?'
Ik knik en frommel het kaartje dat Ard in mijn handen heeft gepropt in mijn tas. Dat hoeft Donja niet te zien.
'Tot ziens, Passie,' had hij gefluisterd. Ik voel de tinteling nog in mijn oor.
'Het was super chill,' zegt Donja. Ze vertelt over de band, over hoeveel we hebben gedanst, over de kleding van alle goths, en zelfs over hoe heerlijk ze heeft gezoend met Beer. De hele rit naar huis staat haar mond niet stil. Niet te geloven dat ze haar moeder dat allemaal vertelt.

2

Als ik de volgende ochtend thuiskom, ligt er een briefje op de keukentafel: *Zijn boodschappen doen*. Mooi, hoef ik nog geen vragen te beantwoorden. Straks even op Facebook en Pinterest om te kijken hoe het schoolfeest was, dan hoef ik het niet te verzinnen.
Ik schenk een glas cola in. Het lichtbruine schuim bruist als mijn bloed, dat sinds gisteravond twee keer zo snel lijkt te stromen.
Ards oogopslag, zijn stem, zijn geur, zijn bewegingen zitten met superlijm in mijn hoofd. Op mijn kamer zet ik een gothic playlist op en haal zijn kaartje tevoorschijn.
YOU'RE BEAUTIFUL – CALL ME staat in dikke zwarte letters achterop geschreven. Mijn hartslag schakelt nog een versnelling hoger. Hij vindt me mooi! Op de voorkant *Ard Wadoriz, fotograaf*, zijn 06 nummer en in kleinere letters (no jeans). Vreemd, dat laatste.
Ik draai het kaartje weer om en tuur naar de geschreven tekst.

'Pascalle, ben je thuis?'

Snel schuif ik zijn kaartje achter in mijn la en loop naar beneden.
'Help me even de boodschappen uit de auto halen.' Mama komt met twee grote tassen de gang in, terwijl ze rechts wordt ingehaald door pap.
'Sorry hoor. Moet naar toilet,' verontschuldigt hij zich.
Mam kijkt hem hoofdschuddend na.
'Mannen.'
Nadat we alle dozen en tassen in de keuken hebben gezet, komt de

niet te vermijden vraag:
'Hoe was je feest?'
'Leuk.' Shit nou weet ik nog niks. 'Heb je vegaburgers meegenomen?'
'Waren die alweer op?' schrikt mama.
'Bijna. Ik haal ze zo wel. Heb je geld?'
'Ja, tuurlijk.' Mam vist haar tasje tussen de boodschappen vandaan.
Yes, ander onderwerp. Gelukt!
'Ben je wat vergeten?' vraagt papa, die de keuken in komt lopen.
'Zal ik eerst een kop thee voor jullie zetten? Ik ben wel benieuwd naar de verhalen van Pascalle. Daarna ga ik Luc van judo halen.'
Hij vult de waterkoker en zet voor zichzelf het espressoapparaat aan. 'Wat zoek je?' vraagt hij aan mama, die de inhoud van haar tas over tafel uitstort.
'Mijn portemonnee.' Ze heeft de tas bijna binnenstebuiten gekeerd, maar er rollen alleen twee losse euro's, een tampon en een paar verfrommelde kassabonnen uit. 'Misschien in mijn jas.' Mompelend loopt ze naar de gang. 'Sjoerd, weet jij waar mijn portemonnee is?'
'Wat?' De espressomachine perst met veel herrie een zwart stroompje naar buiten.
'Of je mijn portemonnee hebt gezien.'
'Nee. Of, wacht.' Papa loopt naar de dozen met boodschappen.
'Kijk hier.' Triomfantelijk overhandigt hij het gevonden voorwerp.
'Kon je dat niet eerder zeggen?'
Papa haalt zijn schouders op.
'Als ik weet dat je hem zoekt.' Hij schenkt mama en mij een kop thee in. 'En nu je feest. Hoe was het?'
'Giga awesome,' antwoord ik, maar dat vindt hij vast niet genoeg.

'Awesome?'
'Ja, gewoon super cool. Goede muziek en zo.'
'Een band of een DJ?' gaat papa verder.
'Een band,' verzin ik, maar toch ook niet.
'Wat voor een?'
'Beetje gothic en cyber.' Hopelijk gaat hij niet op Facebook op zoek naar foto's.
'Och jé. Echt iets voor Donja dus,' bemoeit mama zich ermee. 'Ik zag haar laatst in de stad. Verschrikkelijk. Die kleding en die make-up.'
Hè? Mam in de stad? Daar komt ze nooit!
'Donja, dat is toch dat nieuwe meisje in je klas?' wil papa weten.
'Ja, ze is blijven zitten,' antwoord ik.
'Was zij gisteren ook zo gekleed?'
'Altijd. Vorig jaar zat ze in een groepje met alto's en goths, maar die zitten nu op de bovenbouwlocatie.'
'Tja, anders willen zijn, da's de puberteit.' Hij neemt een slok van zijn espresso en wuift mama's opmerking weg. 'Ze komt er heus wel achter.'
'Achter wat?' Ik voel al mijn spieren verkrampen.
'Och,' lacht papa. 'Geen baas die dat accepteert.'
'Hoezo?'
'Simpel. Die willen zoiets extreems niet.'
'Leuk voor op toneel,' denkt mama grappig te doen. 'Maar presteer het niet om er ook mee thuis te komen.' Haar toon verandert. 'Dan is het meteen afgelopen met die vriendschap.'
Wat een rotopmerking. Alsof ik zelf niet mag kiezen wie mijn vrienden zijn.

'Hou die thee maar. Ik mag dat soort dingen toch wel zelf bepalen.'
Ik loop stampend naar de gang en graai mijn jas van de kapstok.
Nooit, maar dan ook nooit, zal ik me hier als goth laten zien.
Achter me hoor ik papa brommen.
'Moest dat nou?'
Stelletje bejaarden.

Bijna automatisch zet ik mijn fiets tegen de kerk en loop naar binnen. De zware houten deur valt met een doffe dreun achter me dicht. De gedachte aan pap en mam laat ik buiten. Het weinige licht dat door de hoge ramen valt kleurt alles rood-paars. De tinten zijn net als gisteravond. In de voorste bank zitten twee vrouwen, een meisje huppelt heen en weer. Ik ga meteen naar mijn plekje in de kapel, waar ik altijd met oma zat. Op dit soort momenten mis ik haar het meest. Haar had ik het vast wel durven vertellen.

In de kapel willen de vlammetjes van twaalf kaarsen huppelen als het meisje, maar hun lont houdt ze tegen. Een dertiende kaars zet ik apart van de rest. Die is van mij. Voor mij, en voor Ard. Turend naar het flikkerende, witgele lichtje denk ik terug aan het feest, aan zijn stem, zijn geheimzinnige lach. En aan zijn kaartje. Voor het eerst zit een jongen zo in mijn hoofd. Vindt hij me echt leuk? Zo'n puisterige spriet?

'Hoi.' Het meisje moet stilletjes de kapel zijn ingeslopen. 'Ben je verdrietig?'
'Wat?' Ik haal de oortjes van mijn telefoon uit mijn oren.
'Of je verdrietig bent.'
'Nee,' antwoord ik.
'Wat doe je dan?' Twee staartjes staan als fonteinen op haar hoofd.

'Denken.'
'Waaraan?'
Ik haal mijn schouders op.
'Ik ga ook denken.' Ze loopt naar de kaarsen voor het altaar. 'Welke is van jou?'
'Die.' Ik wijs hem aan.
Ze staat op, pakt de kaars en zet hem bij de andere.
'Hier moet je, niet zo alleen.' Dan komt ze naast me zitten. 'Mag ik er ook naar kijken?'
Ik knik. Het liefst zou ik mijn kaars terugzetten, maar ik houd me in. Weet dat kind veel.
'Voor wie is jouw kaarsje?'
Even twijfel ik.
'Voor mijn vriend.' De woorden klinken onwennig.
'Is hij dood?'
Ik schrik van haar vraag.
'Je kunt ook kaarsjes branden voor levende mensen. Omdat je aan ze wilt denken.'
Ze kijkt me verbaasd aan.
'Mama brandt altijd een kaarsje voor mijn dode oma.'
Een stem onderbreekt ons gesprek:
'Evelien, kom, we gaan naar huis.'
Het meisje springt op en rent weg. Ik tuur naar de groep kaarsen. Vorige keer brandde ik ook een kaarsje voor oma. Nu niet. Nu is het anders.

Zal ik de mijne weer apart zetten? Of de rest uitblazen? Ard en ik samen in het duister. Ik sta op, blaas mijn kaars uit en zet hem weg. Een slingertje rook stijgt op. Kon al het gedoe maar zo vervliegen.

Dan was het makkelijk. Ik werd helemaal goth, ging met Ard, was zijn mooiste model en had genoeg geld voor een kast vol Victoriaanse jurken.

Zoals altijd wanneer ik hier ben, moet ik even mijn steen aanraken. Mijn vingers glijden over de koude letters van de grafsteen, die in de muur is uitgehouwen. *St Paulus Pascal*. Mijn steen, al mocht ik dat nooit van oma zeggen. *Ik had nog een heel leven te gaan*, zei ze altijd, terwijl ik er nooit iets mee bedoelde.

Zelfs het nagloeiende puntje van mijn kaars is nu gedoofd. De andere vlammen dansen nog, alsof ze uitroepen:
'Wij wel, wij wel!'
Voor ik mezelf kan tegenhouden, vullen mijn longen zich. Net als bij de taart op mijn verjaardag blaas ik ze allemaal in een keer uit. Dat voelt goed! Daarna ga ik zo snel ik kan naar buiten, waar de wind me in mijn kleren lijkt te grijpen.

Ik word een straatje ingeblazen waar ik normaal aan voorbijloop. Ik geloof niet dat ik wat heb gemist. Strakke etalages van damesmodezaken met alleen tutspullen. Het zijn net aquaria, waarin jurken als tropische vissen rondzwemmen. Echt winkels voor mam. Halverwege de straat zit een oud winkeltje dat er niet tussen lijkt te horen. Op de ruit staat in vergeelde letters:

Antiek & Curiosa,
Inkoop en Verkoop

Tussen alle oude troep trekt iets glimmends, groens mijn aandacht. Ik druk mijn neus tegen de ruit. Wow, het is een schitterende hanger, nog groener dan Donja's jurk. Ik doe een stap naar achter om meer van het winkeltje te zien en tref in de ruit mijn vage spiegelbeeld. Ik fantaseer de hanger om mijn hals, samen met mijn eigen jurk. Wat zal dat ding kosten? Dan verandert mijn spiegelbeeld langzaam in een ander gezicht. Zonder puisten, met rimpels. Het kijkt me indringend aan, tot het licht van de etalage uitklikt. Ik loop naar de deur van het winkeltje. Binnen loopt de schim met me mee. Ineens versnelt haar pas en vlak voor mijn neus draait een oude vrouw het bordje aan de deur van *open* naar *gesloten*. Ze klikt de deur in het slot en verdwijnt in het donker. Dat mens is gek. Half vijf zie ik op mijn horloge, zeker stipt haar sluitingstijd. Oma had net zo kunnen doen.

Regel is regel, hoor ik haar nog zeggen, al moet de laatste keer al bijna een jaar geleden zijn geweest.

3

De hele dag zeurt Donja al over Ard, Beer en het feest.
'O ja, dat vergat ik bijna, ik ga niet naar wiskunde. Moet naar de tandarts. Ben om 5 uur thuis,' zegt Donja.
'Is goed. Ik ga de stad wel in en kom daarna.' Misschien lukt het me zonder haar wel om het laatste uur mijn hoofd bij de les te houden.

Maar ook zonder Donja zijn mijn hersenkronkels niet in wiskunde geïnteresseerd. Ard en de hanger vechten om de aandacht. Gisteravond had ik nog op *Ard* en *fotograaf* gegoogeld. Tussen de ontelbare foto's van gothic modellen vond ik maar één foto waar hij zelf op stond. Hij spatte van het beeldscherm. Niet eerder had ik de neiging mijn beeldscherm aan te raken. Nu wel.

Bij de laatste bel verlaat ik zo snel mogelijk het schoolterrein. Vlak na de zomervakantie bleef ik, net als vorig jaar, nog wel eens kletsen met Saar en Inge. Of we gingen naar de stad om te shoppen. Eén keer waren we naar de *Black Witch* gegaan, om te kijken waar Donja haar kleren koopt. Toen deden ze al zo flauw met hun gegiebel over hekserij. De week daarna hadden Donja en ik samen een opdracht voor muziek. Dat was het begin. Ze vroeg me bij haar thuis te komen oefenen, zij op haar keyboard en ik zou zingen. Ze had een mooi gothic nummer uitgezocht, waarvan ze de muziek al kende. Gelukkig was de tekst niet moeilijk en was het een super chill nummer om te zingen.
'Eigenlijk moet ik dan ook zo'n jurk aan,' fantaseerde ik.

'Ja, gaaf. Wil je dat?' Donja veerde op van achter haar keyboard.
'Best wel, maar ik ga er echt niet een voor school kopen.'
'Ik heb er wel een die ik niet meer pas.' Donja was naar haar kast gelopen en had een wijnrode jurk gepakt. 'Probeer maar.'
Op dat moment wist ik nog niet wat er ging gebeuren. Ik liet mijn hand over het fluweel glijden.
'Lekker zacht.' Aarzelend trok ik mijn kleren uit. Donja zat pas sinds dit jaar in onze klas, dus ik kende haar nauwelijks. Zou het haar al opgevallen zijn dat ik bijna geen borsten heb?

De jurk gleed over mijn hoofd. Donja hielp me met de rits en wees naar de spiegel. Even dacht ik dat mijn spiegelbeeld een truc was. Was ik dat? Ik voelde hoe ik groeide, hoe ik sterker en mooier werd. Het was alsof er een nieuwe ik voor de spiegel stond. Een veel mooiere, die *wel* gezien wordt. Ik zong mijn tekst nog een keer, en het was net of het door die jurk nog zuiverder klonk. Even dacht ik dat ik droomde, maar het was de werkelijkheid. Zo kon ik dus ook zijn. Dit wilde ik vaker dan alleen voor onze opdracht. Maar ik wist ook meteen wat pap en mam ervan zouden vinden.
'Dan kleed je je toch bij mij om,' had Donja direct voorgesteld.
'Maar moet ik dan verder ook goth zijn? Dat is toch met satan en hekserij en zo?'
'Welnee, satan al helemaal niet, en sommigen doen aan wicca, maar dat hoeft niet. Het is gewoon wat je zelf wilt.'
'En jij? Wat voor goth ben jij?'
'Vooral de kleding en de muziek. Meer niet.'
'Dat kan?'
Donja lacht.
'Waarom niet? De enige die bepaalt wat je wilt, ben je zelf.'

Sinds die dag heb ik op school af en toe een van Donja's oude jurken aan en zeggen Saar en Inge niets meer tegen me. Stelletje noobs.

Bij het winkeltje van die vreemde vrouw ligt de hanger nog in de etalage, alsof hij op me heeft gewacht. Als ik de winkeldeur open, rinkelt een ouderwets belletje. Een bijzondere geur stroomt mijn neusgaten in: een mengsel van oma's huis en Donja's wierook in één. Ik krijg er kippenvel van.
'Kan ik je helpen?' vraagt de vrouw die me zaterdag buitensloot.
'Ik zag iets moois in de etalage. Een groene hanger.' Het lijkt of ze schrikt. 'Mag ik die even zien?'
'De amulet?'
'Ik denk het.'
Zuchtend schuift ze een glas-in-loodscherm opzij, dat de etalage afschermt van de winkel.
'Hij is duur hoor.'
'Hoe duur?'
'185 euro, of misschien wel meer.'
'Geen probleem,' bluf ik.
Met een scherpe blik kijkt ze me aan. Ze verzet een paar tinnen kannen en rekt zich uit in de etalage. Met veel moeite vist ze een zwart verkleurde ketting met kleine ronde schakels omhoog. Aan de ketting hangt de diepgroene steen, omringd door fijn zilverwerk. Hij is prachtig. De vrouw reikt me de ketting aan. De steen slingert van links naar rechts. De ene tint is nog groener dan de andere, de donkerste is exact als Donja's jurk. Ik doe de ketting om mijn hals en open mijn jas een stukje, zodat hij beter hangt. In een verweerde

spiegel zie ik dat mijn ogen groener dan groen lijken, alsof ze worden ingekleurd door de amulet.
Dan maakt de vrouw de ketting los.
'Ik, eh, ik wil hem nog niet kopen, ik moet er nog even over nadenken.' Het duurt minstens een millennium voordat ik zoveel geld heb.
'Mooi, fijne dag verder.' Ze kijkt me de winkel uit.

'Hèhè, ik dacht dat je nooit meer zou komen. Of dat je eindelijk zo naar huis durfde te gaan,' verwelkomt Donja me.
'Jij hebt makkelijk praten.' Ik loop naar haar kamer. 'Ze zouden me meteen het huis uitzetten.' Nog even kijk ik in de spiegel. 'Yes, this is me.' Ik zoom in op mijn ogen, maar die zijn weer saai grijsgroen. 'Almost me.' Dan verwissel ik mijn jurk voor een spijkerbroek en shirt. Ik pak het potje met remover pads en poets het zwart van mijn oogleden. Na zes pads is er niets meer van te zien.
'Ik heb in de stad een heel chille hanger gezien.'
'Waar?'
'Geen idee hoe het daar heet. 't Was een klein donker winkeltje met een vreemde oude vrouw. Beetje heksig. Hoe ze me aankeek... kippenvel. Maar die hanger was zo gothic.'
'Wil ik zien! Nee, moet ik zien! Morgen?'
Ik schud mijn hoofd.
'Moet helpen thuis.'
'Wat nu weer?'
'Ramen lappen. Mijn moeder durft niet op de trap.'
'Daar heb je toch een glazenwasser voor.'
'Leg dat haar maar eens uit.' Ik hang de jurk op mijn plekje in

Donja's kast.
'Overmorgen dan?' stelt Donja voor.
'Deal, maar ik moet nu snel gaan.'
'Nou, gezellig. Nee hoor, ik had niets bij de tandarts. Leuk dat je er naar vraagt,' roept Donja me na als ik de trap afstorm. 'Dááág Pasca.'

'Wat ben je laat.' Mams standaardbegroeting verpest direct mijn humeur.
'Ik was met Donja mee naar de tandarts. Ze moest laten boren.'
'Laat het me dan van tevoren weten. Kan ik er rekening mee houden.'
Ik loop door naar mijn kamer.
'Ik ga huiswerk maken.' Weet ik tenminste zeker dat ik geen aardappels hoef te schillen.

Amper vijf minuten later komt mam mijn kamer in. Ze loopt naar mijn boxjes en draait de muziek zachter.
'Zo kan je geen huiswerk maken.'
'Heus wel.' Ik houd me in om het volume niet meteen weer omhoog te draaien.
'Heb je veel?'
'Beetje.'
'Wat heb je?' Ze wil mijn agenda pakken, maar ik gris ik hem voor haar handen weg.
'Natuurkunde, Engels en Duits.'
'Mag ik niet in je agenda kijken?'
'Je weet mijn huiswerk nu toch.'
'Dat vraag ik niet.'

Ik draai demonstratief mijn rug naar haar toe, pak mijn Duitse boek en schrift en sla ze open op de rijtjes met de derde naamval.
'Aus, ausser, bei, mit, nach, seit, von, zu, gegenüber, entgegen, gemäss.' Mam blijft achter me staan, maar ik doe alsof ze er niet is.
'Dem, der, dem, den. Aus, ausser, bei, mit, nach, seit, von, zu, gegenüber, entgegen, gemäss. Dem, der, dem, den.'
Eindelijk hoor ik mijn deur dichtklikken. Ik pak de oortjes en zet de muziek weer hard. Volgende keer moet ik dat meteen doen. Dan houdt ze wel op met dat gebemoei. Bij een gitaarsolo laat ik mijn gedachten wegglijden naar dat vreemde winkeltje. Ondertussen krabbel ik wat in een hoekje van mijn schrift.

No dark without light
No love without fight
I love the dark

No life without tear
No love without fear
I love the life tear

Oh my dear,
I love to fight
I love the fear
I love the night
I love the tear

I hate the light
I hate the love
I love the hate

Ik zit nog na te denken over de laatste regels als Luc mijn kamer binnenstormt.
'Eten!' Hij graait het schrift onder mijn handen vandaan. 'Ben je aan het doen?'
'Niets voor kleine broertjes.' Ik pak het schrift terug en schuif het onder mijn boeken. 'Kom er zo aan.'
Dit keer luistert hij. Hij stommelt de trap weer af en roept: 'Ze komt eraan.'
Terugkijkend naar mijn gedicht ben ik best trots. De laatste drie regels streep ik toch maar door.

'Huiswerk al af?' Mam kwakt een schep nasi op mijn bord. Zonder vlees, lief van haar.
'Bijna. Hoezo?'
'Dan kan jij vanavond op Luc passen. Papa heeft een vergadering en ik moet invallen.'
'O, best.' Nee zeggen heeft geen zin. 'Als hij maar niet kliert.'
'Wat een rare opmerking, Pascalle,' zegt papa met volle mond.
Luc glimlacht me schijnheilig toe. Ik doe net of ik het niet zie.

4

Die nacht droom ik van de amulet om mijn hals en mijn eigen jurk. Ik heb mijn haar los over mijn schouders, kattenogen met mooie make-up, zwartgelakte nagels en geen puisten of mee-eters. Ik zie me weer op Dinky's feest en zweef over de dansvloer op prachtige gothic rock. Ard is de hele tijd bij me om samen te dansen of foto's van me te maken. Buiten staan nog zeker honderd fotografen, die speciaal voor mij zijn gekomen. Ik praat met leuke jongens, ik lach en laat iedereen in verwondering achter. Wat een mooi en mysterieus meisje, denken ze. Die weet wat ze wil. Wat doet zo´n bijzonder meisje hier? Wat brengt ze ons?

Als ik wakker word en mijn uitgelubberde trui op mijn zitzak zie liggen, vraag ik me ook af wat ik hier doe. In dit huis en dit gezin? Ik doe het nooit goed. Sinds Luc geboren is, doe ik er niet meer toe. Ik weet het nog precies, het was drie dagen voor ik zes werd. In het ziekenhuis was baby'tje Luc nog wel aardig, tot hij op mijn verjaardag mee naar huis mocht. Geen taart, alleen beschuit met muisjes. Nog weet ik niet voor wie de slingers en ballonnen waren. Iedereen vond dat ik zo'n leuk verjaardagscadeau had gehad, maar ik wilde helemaal geen broertje. Dat had ik toch niet op mijn lijstje gezet? Sindsdien ben ik hulpje en oppas.

Nadat mijn wekker voor de derde keer is afgegaan, lukt het me om mijn bed uit te komen. Opschieten, anders kan ik niet meer

langs Donja.
'Je ontbijt staat al klaar,' roept mama vanaf de zolder. 'Ik ben met de was bezig. Red jij jezelf?'
'Oké.' Da's mooi. Geen geklets vanmorgen.
Getver, pindakaas. Ik ben geen kleuter. Ik schuif de boterham onder een leeg melkpak in de afvalbak. Dan maar niets.

'Há Don.'
'Hé Pasca. Ik belde je al, maar je moeder zei dat je net weg was. Van der Lugt is ziek. Lekker een uurtje vrij.'
'Mooi!' zeg ik, napuffend van het fietsen. 'Hoef ik me niet te haasten.'
Donja pakt mijn jurk en werpt hem me toe.
'Hier. Thee?'
'Lekker. Je hebt mijn moeder niets verteld over Dinky's feest, hè?'
'Zijn er hier gekken in de kamer?' Met een vervormd gezicht kijkt ze de kamer rond.
Ik probeer nog vreemder te kijken en moet bukken om een rondvliegende knuffel te ontwijken.
'Ja, twee gekken zelfs. En die daar is gevaarlijk! Die bekogelt je met zware voorwerpen.' Ik pak de knuffel, gooi hem naar haar terug en voel de slappe lach opkomen. Gierend laten we ons op haar bed vallen.

Als ik een beetje ben bijgekomen, trek ik de bordeauxrode jurk aan en streel met beide handen het fluweel. Mijn eigen jurk, omdat Donja hem niet meer paste. Super van haar. Hij is zo heerlijk zacht. En zo mooi hoe je lijnen kan trekken in de vleug van de stof. Donja ligt nog na te giebelen.

'Mijn moeder zei, dat ze je laatst had gezien,' grinnik ik.
'Ja, en?'
'Niet normaal hoe moeilijk ze dan doet. Moet er niet aan denken dat ze mij zo ontdekt.'
'Hoezo niet? Ik snap niets van die ouders van jou.'
'Zo zijn ze nou eenmaal. Gewoon is al gek genoeg, vinden ze. En wat veel erger is: normaal komt mam nooit in de stad, maar ze had jou daar wel gezien. Ik hoopte altijd dat ik in de stad veilig was.' Ik draai me rond voor de spiegel. 'Als ze mij in deze jurk ziet, kan ik het wel vergeten.'
'Maar het staat je hartstikke goed. Dat ziet je moeder dan toch ook?'
'Echt niet.'
'Ik zou me er niets van aantrekken.'
Ik vraag me af waarom ik hierover begon. Donja snapt het toch niet. Nu niet, en nooit niet.

De volgende dag fietsen we uit school meteen naar het winkeltje van de oude vrouw. Gelukkig is mam op haar werk, weet ik zeker dat we haar niet tegenkomen.
'Je kunt hier ook wel eens ramen lappen.' Donja tuurt in de donkere etalage. 'Waar ligt die ketting?'
'Shit, hij is weg. Ze zal hem toch niet verkocht hebben? Kom, we gaan het vragen.'
'Dames, wat kan ik voor u doen?' Het is weer dezelfde oude vrouw als de vorige keer. Is ze de enige die hier werkt?
'Ik wil mijn vriendin de amulet laten zien.' Mijn hart klopt in mijn keel, straks heeft ze hem niet meer.
Met de deurknop nog in haar hand kijkt Donja de winkel rond. Ik

volg haar blik via de etalage, langs de wanden met schilderijen van vergezichten, naar de kastjes met glaswerk en misschien zelfs kristal. Voor in de winkel staan allerlei stoelen, soms een paar dezelfde, maar allemaal met versleten bekleding. Achterin zes tafels, overvol met prullaria. Gek, alleen de geur en de amulet herinner ik me nog.

De vrouw schuift een laatje van de toonbank open en kijkt ons als een schooljuf aan.

'Je weet dat hij 200 euro kost?'

'200? U had 185 gezegd.'

'Of meer.' Met een strak lachje geeft ze me de amulet.

Ik pak hem voorzichtig aan, bang hem te breken. Zoiets moois heb ik nog nooit gezien.

'Moet je zien. Gaaf hè?'

'Helemaal top bij je jurk en je ogen,' zegt Donja.

'Heb je geld?' De lippen van de vrouw versmallen tot een kort streepje.

'Ja, 185 euro.' In mijn ooghoek zie ik hoe Donja me verbaasd aankijkt. Haar mond opent alsof ze iets wil zeggen, maar gelukkig komt er geen geluid uit.

De vrouw schudt haar hoofd en neemt de amulet uit mijn hand.

'Dat is niet genoeg.'

'Dan niet.' Valse heks, denk ik er achteraan. Ik draai me om en loop naar de deur.

Donja volgt meteen.

'Waarom wilde je al weg?'

Tranen van woede wringen zich naar buiten.

'200 euro. Dat is bedrog! Ze vroeg echt 185. Dit is zo... zo

ongelofelijk oneerlijk.'
'We hadden moeten onderhandelen, en je moet haar een beetje paaien. Dan vindt ze je leuk en doet vast wel wat van de prijs af. Moet lukken bij zo'n oude toverkol.'
Ik schud mijn hoofd.
'Moest gewoon weg. Ik dacht dat ik stikte.'
Donja kijkt me verbaasd aan en begint te lachen. Een pluk haar waait in haar gezicht.
'Lach me niet uit!'
'Doe ik niet. Het komt door die heks.'
'Geloof ik niet.'
'Je hebt gelijk, maar je was ook zo grappig. Met je red head. En hoe dat mens je aankeek. Het had me niets verbaasd als de amulet in een groene kikker was veranderd. Kwaak,' lacht Donja. 'Maar hij is super. Je moet zo snel mogelijk die euro's bij elkaar zien te krijgen voordat hij is verkocht, of heb je echt al 185 euro?'
'Nee joh, ik blufte maar wat. Waar had ik dat vandaan moeten halen?'
'Bij Ard of zo.'
'Natuurlijk niet.'
'Heb je nog geen date? Moet ik Dinky vragen of hij...'
'Nee!' onderbreek ik haar. 'Dat regel ik zelf wel.'
'Oké, ook goed. Maar je vertelt het me dan wel, hoor.' Donja springt op haar fiets. 'Kom, gaan we naar de *Black Witch*, jurken kijken.'

In de winkel word ik weer blij. De verkoopster draagt een prachtige zwarte jurk met een strak kanten lijfje. Daaronder loopt de rok wijd

uit. Om haar hals een ketting met zwarte glimmende stenen. Ik zou zo met haar willen ruilen. Uit de boxen klinkt:
Great love setting the world on fire. I am in awe of who you are. And it's your love I'm living for.
Het is *Great love* van *Flyleaf,* een van onze favoriete nummers. Donja en ik zingen tegelijkertijd het refrein mee.
'Kan ik jullie helpen?' vraagt de verkoopster als we uitgezongen zijn.
Ik schud mijn hoofd.
'We willen even kijken.'
'Als de maat er niet bij hangt, heb ik die misschien nog achter.'
Ademloos loop ik tussen de rekken met de mooiste jurken. Al hing er maar één thuis in mijn eigen kast. Durfde ik het maar. Mijn vingers glijden langs de betoverende stoffen. Bij een paarse blijft mijn hand hangen. *€129,-* staat op het kaartje dat in de hals bungelt. Ik aarzel, hij kleurt niet bij de amulet.
'Ja, passen!' Donja houdt het zwarte velours gordijn van de paskamer open en gebaart me te komen.
'Denk je dat Ard hem mooi vindt?'
'Dus je vond hem wel leuk?'
'Nou ja, een beetje.' Had ik dit maar niet gezegd.
Even later bewonder ik mezelf in de spiegel en ben ik weer verrast door mijn spiegelbeeld.
'Oh my goth, dit is gaaf.'
'My goth,' lacht Donja. 'Die houden we er in. Geen OMG meer voor ons. Maar wacht.' Donja, duwt me het pashokje in, vist een stel zakdoekjes uit haar tas en propt die in mijn bh. Ik ben te verbaasd om haar tegen te houden en als ik weer in de spiegel kijk,

weet ik dat ze gelijk heeft. Buiten het pashok draai ik een paar rondjes voor de spiegelwand, bijna geloof ik niet dat ik het ben.
´Hij staat je prachtig,´ zegt de verkoopster.
´Ik weet zeker dat Ard hem ook geweldig vindt,´ zegt Donja, ´maar hij moet wel zijn handen thuis houden, want anders…´ Vingervlug als een goochelaar vist ze een van de zakdoekjes uit mijn jurk en wappert er triomfantelijk mee. Zo snel ik kan, schiet ik de paskamer weer in. Wat een ongelofelijke Donja-streek. Haar lach achter het gordijn maakt me nog kwader.
´Ik heb hem nog een maatje kleiner,' zegt de verkoopster.
´Doe maar,´ besluit Donja voor me. ´Sorry Pas, maar ik zag het zo voor me.´ Ze houdt zichtbaar haar lach in, als ze om het hoekje kijkt. Ergens, ver achter de horizon, zie ik er ook de humor van in, maar ik vind het vooral een rotopmerking. ´Toe Pas, probeer die kleinere. Hij zal je geweldig staan.´
´Nou, oké dan.´
De verkoopster reikt me precies zo´n jurk aan als net.
´XS, dat past je beter, denk ik.´
Ze heeft gelijk. Hij zit alsof hij voor me is gemaakt, maar de prijs is net zo achterlijk hoog. Waarom zijn kleinere maten niet goedkoper? Ik loop voor de spiegel heen en weer en voel me bijna een model. Vanuit een andere hoek in de winkel fluit Donja me toe als een bouwvakker.
´Paste ik die maat maar.´
´Flauw hoor.´ Alsof zij zo plat zou willen zijn.
´Nee echt.´
´Hoe vind je het?´ vraagt de verkoopster.
'Ik heb niet genoeg geld.' Prompt draai ik me om en vlucht de

paskamer in. Het doet bijna pijn Donja´s jurk weer aan te trekken.

Uit het niets flitst het beeld van mams portemonnee door mijn hoofd. Snel verdring ik de gedachte. Dat kan ik niet maken. Of... misschien mist ze het niet eens. Vast wel. Het is een belachelijk plan. Een krantenwijk? En dan zeker iedere dag door de regen. Alleen bij het idee krijg ik al kippenvel. Zaterdagbaantje? Ik heb wel eens bij winkels een briefje zien hangen, maar ze willen altijd 16-plussers. En auto's wassen schiet ook niet op. Moet er niet aan denken, dat commentaar van iedereen:

O, zal ik die van mij er ook naast zetten?

Losers.

5

‘Kijk mam, een acht voor Duits.’ Donja gooit haar proefwerk op tafel.
‘Mooi werk. Wat drinken?’ Donja’s moeder schenkt ons een kop thee in en zet een bord met roze koeken op tafel. ‘Neem maar. Had jij ook zo’n goed cijfer?’ vraagt ze, terwijl ze naar me kijkt.
‘Een vijf.’ Ik peuter een stukje glazuur van mijn koek en stop het in mijn mond. Lekker zoet.
‘Ze is verliefd, mam. Pasca kan maar aan één ding denken.’
Kan Donja nou nooit haar mond houden? Ik weet het zelf niet eens zeker.
‘Echt waar?’ vraagt Donja’s moeder. ‘Verliefd zijn is het mooiste dat er is. Ik weet nog wel toen ik Donja’s vader voor het eerst ontmoette. Het was op wat jullie nu een afterparty noemen. We hadden alle twee net wat te veel gedronken, en vielen als een blok voor elkaar. Bij de volgende ontmoeting waren we wel helder, en wonder boven wonder, de verliefdheid bleef.’
Niet te geloven, je moeder dronken. Dat had ik met die van mij nog nooit meegemaakt.
‘Maar daarvoor was ik al op een heleboel jongens verliefd geweest hoor. Gewoon lekker van genieten.’
‘Ja mam, dat weten we wel.’ Donja neemt haar laatste slok thee.
‘Kom, we gaan naar boven.’

Ze loopt voor me uit de trap op. Aan de wand hangen popart posters van Donja en Dinky. Dat is wel wat anders dan *Van het concert des levens heeft niemand een program* in het trapgat thuis. Een vage walm van wierook glijdt ons tegemoet.
'Ik ben helemaal niet verliefd,' zeg ik.
'Dat moet ik geloven.'
'Ja,' zeg ik, terwijl ik denk: Laat maar. Misschien heeft ze wel gelijk, maar dat hoeft ze niet te weten. Dan houdt ze er helemaal niet meer over op.
In haar kamer laat ik me wegzakken in een stapel kussens op de grond, alsof ik door ze word omhelsd. Het voelt hier meer als thuis dan thuis. Die dieppaarse muur, het zwarte hemelbed, en ja, alles eigenlijk.
'Je moet wel een beetje *hard to get* spelen. Dinky zei dat massa's meiden verliefd worden op Ard.'
'Boeiend.'
'En zorg dat hij je nooit in je gewone kleren ziet, want dan hoeft hij je meteen niet meer.'
'Hè??'
'Volgens Dinky wil hij alleen maar goths. De rest vindt hij plebs.' Donja pakt een cd van haar installatie. 'Nieuw, van mijn moeder gekregen. Luister. Hij is cool!´
'Doe je ook een wierookje?' vraag ik.
'Why not?' Donja loopt naar het kastje met de rommellaatjes. 'O ja, voor ik het vergeet te zeggen: je moet een andere plek zoeken voor je metamorfoses.'
'Wat?' Dit kan ze niet maken.
'Ik ga weg hier.'

'Gaan jullie verhuizen?'
'Zoiets ja, of tenminste, ik ga verhuizen.'
'Ga je bij je vader wonen?'
'Alsof dat iets zou oplossen.'
'Wat dan?'
Donja zucht.
'Kan je een geheim bewaren?'
Automatisch gaan mijn wijs- en middelvinger in een V naar mijn mond en ik nepspuug er tussendoor.
'Beloofd.'
'Erewoord?'
'Erewoord.'
Donja staat op en zet de muziek op z'n luidst. Midden in de kamer danst ze met haar ogen dicht. De wijde mouwen van haar jurk volgen als vleugels de bewegingen van haar armen. Meestal vind ik het mooi om naar haar te kijken als ze danst. Nu niet. Aanstelster. Donja draait en draait, totdat ze zich op haar bed laat vallen.
'Naar Beer,' zegt ze. 'Als de herfstvakantie begint.'
'Vindt je moeder dat goed?'
'Nee, natuurlijk niet, maar die hoeft het ook niet te weten.'
'Hè?' Ik heb vast nog nooit zo onnozel gekeken.
'Het is haar eigen schuld.'
'Van je moeder?'
'Ja. Als ik gewoon bij Beer zou mogen blijven slapen, was er niets aan de hand. Nu kan ik niet anders.'
Ik pas Donja's woorden als een sudoku in elkaar:
'Dus je verhuist naar Beer, omdat je niet bij hem mag slapen, en je moeder mag het niet weten?'

‘Slimmerik!’
‘Maar dan… eigenlijk loop je dan weg.’
‘Gefeliciteerd! U heeft de koelkast gewonnen en mag door voor het vriesvak!’
‘Je moeder zal hartstikke ongerust zijn.’
‘Eigen schuld.’
‘Alleen omdat je niet bij hem mag slapen?’
‘Dat zeg ik.’
‘En als ze mij straks vraagt waar je bent?’
‘Dan verzin jij vast wel een leuk verhaaltje.’ Ze kijkt me aan alsof het de normaalste zaak van de wereld is. ´En je hebt zonet gezworen dat je het niet zou vertellen. Of moet ik jouw moeder bellen en haar vertellen over jouw second life? Over Pasca, the goth?’
‘Nee, natuurlijk niet.’ Soms denk ik dat ze toch een heks is.
‘Wanneer ga je weg?’
Donja blijft op haar bed liggen en tuurt naar het plafond.
‘Over 10 dagen. Als je je hier wilt blijven omkleden, dan moet je dat maar met mijn moeder regelen. Zou zonde zijn als je weer gewoon spijkerbroeken-Pasca wordt, kan je Ard wel vergeten.’ Ik poets zo hard op het zwart van mijn oogleden, dat ze er rood van worden. ‘En je moet je eigen make-up, remover en andere zooi regelen, want ik neem mijn stuff mee.’
Keihard gooi ik de deur van haar kamer dicht en hol de trap af. In de gang kom ik Donja’s moeder tegen.
‘Gaat het?’
Zonder haar aan te kijken gris ik mijn jas van de kapstok.
‘Ach meid. Het komt vanzelf weer goed. Je kent Donja toch?’ Ze wrijft lichtjes over mijn rug.
‘Dag, mevrouw,’ zeg ik zo normaal mogelijk.
‘Ciao, Pasca.’

6

Omdat ik niets beters weet, fiets ik richting huis. Onder de brug gooi ik mijn fiets tegen de helling. Even niks. Ik klim een paar meter omhoog, ga zitten en tuur langs het kanaal. Het beton dempt de wind, het licht en de geluiden alsof ik me verstopt heb onder een deken. Als Donja straks weg is, is Pasca er ook niet meer. Alleen Pascalle blijft. Saar, Inge en misschien de rest van de klas zullen me uitlachen en zeggen dat ik een meeloper ben. De sukkels. Niemand hoef ik te vragen of ik me bij hen thuis mag omkleden. Kan ik het net zo goed meteen aan pap en mam vertellen. En Donja´s idee is al even idioot. Alsof haar moeder op mij zit te wachten, als Donja net is weggelopen.

Donja de Übergoth is echt van de wereld. We zouden eens moeten ruilen. Is ook leuk voor pap en mam, een paar dagen een goth in huis. Ik zie het al helemaal voor me. Donja op de stoep voor het huis, mam gillend dat Donja voordat ze binnenkomt haar jurk uit moet doen en pap die er sussend achter staat. En dan weten ze nog niet eens hoe het is om een dochter te hebben, die wél voor zichzelf opkomt. Geen van hun drieën zou het volhouden.

De boeg van een zandschip dringt zich onder mijn brug. Het gedreun van de motor duwt me tegen het talud. Ik moet er niet aan denken dat haar moeder op de stoep staat en vraagt waar Donja is. Die is dan natuurlijk helemaal in paniek, al zegt Donja van niet.

Pap en mam zullen uren op me inpraten of ik het niet weet en Donja wordt door hen verketterd. Dit wil ik niet meemaken! Ze vergeeft het me nooit als ik haar verlink, maar haar tegenhouden gaat ook niet lukken. Als die iets in haar kop heeft, doet ze het, ook al vergaat de rest van de wereld.

Tien dagen, tien dagen, tolt door mijn hoofd. Tien dagen om een plek te zoeken waar ik zonder Donja toch goth kan zijn. Ik word gek van de gedachten die als een intercity door mijn hoofd razen. Rustig, cool down. Ik haal diep adem en trek aan de noodrem van mijn hersens. Geen foute dingen doen nu. Rustig naar huis fietsen en daar verder denken.

'Mama was boos.' Luc kijkt me triomfantelijk aan. 'Nu is ze weg.'

Ik doe of ik hem niet hoor.

'Jij moet op mij passen en om half zes het eten in de oven zetten.' Hij graait een hand chips uit de zak die naast hem op de bank staat.

'Mocht je die chips van mama?'

'Weet niet.'

'Nou, eet je lekker misselijk dan.' Ik draai me om en loop de kamer uit.

'Ga je huiswerk maken?' roept Luc me met een mond vol chips na.

'Gaat je niks aan, bemoeial.' Halverwege de trap schrik ik op van het geluid van mijn telefoon. Ard? Zou hij mijn nummer aan Donja hebben gevraagd? Ik ren door naar mijn kamer en graai in mijn tas. Shit, mama.

'Ja?'

'Hallo schat, met mama. Ben je al thuis?'

'Hoezo?'

'Luc is alleen.'
'Niet.'
'Niet?' Jeetje wat een gezeur.
'Waarom bel je?'
'Om te weten of je thuis bent.'
'Ja dus. Klaar?'
'Ben je druk?'
'Ja.'
'Huiswerk?'
'Ja, kan ik nou verder?'
'Natuurlijk. En wil jij straks de oven aanzetten? In de koelkast staat een hartige taart, die moet om half zes de oven in. Ik ben om zes uur thuis.'
'Ja, doei.'
'Let je ook een beetje op Luc?'
Ik doe of ik haar niet meer heb gehoord en druk het gesprek weg.
'Was dat mama?' Luc kijkt me onschuldig aan. 'Wil je een spelletje met me doen?'
'Nee.'
'Waarom niet?'
'Ik ga huiswerk maken.'
'Ha ha, nou weet ik lekker toch wat je gaat doen.'
Ik duw hem mijn kamer uit en smijt de deur dicht.
'Ik neem nog een zak chips hoor. En cola. Ik zeg tegen mama dat het van jou mocht.'
Sukkel, hij doet maar wat hij wil. Ik zet een playlist op die Donja laatst heeft gemaakt en ga op mijn bed liggen. Ik moet nu echt logisch gaan nadenken. Laat ik beginnen bij het begin: Donja's plan.

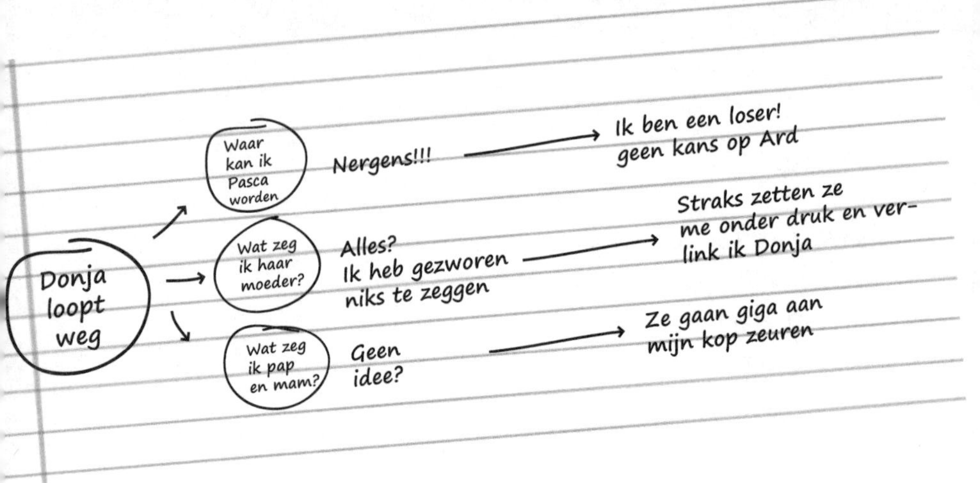

Nu ik het voor me zie, weet ik niet wat belangrijker is. Of beter: wie belangrijker is. Donja of ik? Turend naar het vel papier wordt het me steeds duidelijker. Donja krijgt toch altijd wel haar zin. Dit keer laat ik me niet in de hoek drijven. Er is maar één manier om alle ellende te voorkomen. Ik moet weg! Dat is ook veel logischer. Zij heeft geen reden, ik wel. Zij heeft geen bemoeiouders, ik wel. Zij heeft geen verboden kleding, ik wel. Zij heeft geen gedoe over make-up, ik wel. Zij heeft geen gedram over kleedgeld, ik wel. Zij hoeft geen ramen te lappen, ik wel. Zij hoeft niet op vervelende broertjes te passen, ik wel. Zij niet, zij niet, zij niet. IK WEL! Ik heb wel duizend redenen om weg te lopen. Waarom heb ik dat niet eerder bedacht? Nu moet ik zorgen weg te zijn, voordat Donja verdwijnt.

Mijn pen tekent poppetjes langs de rand van de blocnote. Hoe meer poppetjes er staan, hoe zekerder ik het weet. Het is net of ze allemaal zeggen:

'Je hebt gelijk.'

Tot er één me vraagt:

'Maar waar ga je dan naartoe?'
'Ja, waar ga je dan naartoe?' vragen ze allemaal.
Binnen een seconde weet ik het antwoord: Naar Ard! Ik ga naar Ard. Mijn hart springt uit mijn borst bij het idee. Kan ik geld verdienen, gaan we samenwonen. Ard en Pasca, de fotograaf en zijn mooiste model. Ik zie mezelf in een mooie zwarte zijden jurk met mouwen van spinnenwebkant, met een hoed en mijn rijglaarsjes. Mijn haar losjes over mijn schouders en de mooiste make-up, aangebracht door mijn persoonlijke visagist. Samen reizen we door heel Europa en poseer ik op de mooiste plekken. Voor de zoveelste keer vis ik zijn kaartje uit mijn la. YOU'RE BEAUTIFUL. Zou het waar zijn dat hij alleen maar echte goths wil? Staat er daarom *no jeans*?
CALL ME. En dan? Ik pak mijn telefoon. 06-25365.. Nee, ho, dit is idioot. Ik heb hem pas één keer gezien. Weet hij veel dat hij daarna niet meer uit mijn hoofd is geweest. Laat ik hem appen en gewoon nog een keer met hem afspreken. Of... De poppetjes kijken me aan of ik gek ben. Bovendien had Donja *hard to get* spelen gezegd. En zolang ik alleen Donja's afgedankte jurk heb, kan ik nooit faken 100% goth te zijn. Jurken en make-up heb ik nodig. De amulet, en misschien mooie lingerie. Koop ik meteen een padded bh, loop ik geen risico met die idiote zakdoekjes. Geld, ik heb geld nodig. Minstens 500 euro. Tegen beter weten in pak ik mijn spaarpot. Ik hoor een paar muntjes heen en weer rollen en hoop op wat papiergeld. Ik peuter het rubberen rondje uit de gifgroene olifant en schud de muntjes op mijn kastje. 7 schamele euro's en 35 cent. Mijn vingers graaien in zijn buik naar papieren euro's, maar nee, niets. Op mijn rekening staat ook nog maar 16 euro. Met de 6 euro

55 die vanmiddag nog in mijn portemonnee zat, heb ik het wereldse bedrag van 29,90.

'Pascalle, waarom staat de taart niet in de oven?'

Ik schrik van mama die mijn kamer in stormt.

'Is het al zo laat dan?'

'Tien voor zes,' tiert ze. 'En Luc moet om zeven uur bij judo zijn.'

Zo snel ze is binnengekomen, verdwijnt ze ook weer. Ik hoor haar van de trap af denderen en tegen Luc schreeuwen: 'Ruim die zak chips op. Straks lust je geen eten meer.'

Waarom heeft ze mijn deur open laten staan? Ik geef de deur een zet en ga aan mijn bureautje zitten. *10 days to go*, lees ik in mijn agenda. Al drie weken ben ik aan het aftellen naar de herfstvakantie, alsof ik wist dat die zo belangrijk zou worden.

7

De hele dag zwalken mijn gedachten heen en weer, van *Donja loopt weg* naar *ik loop weg*, en weer terug. Ieder uur sjok ik met de klas mee naar het volgende lokaal, maar verder doe ik mee voor spek en bonen. Ik wil weten of Donja het werkelijk gaat doen, maar nergens vind ik een moment om het haar te vragen.

Als we het schoolplein af fietsen zingt Donja een van onze favo nummers. Ik zet de tweede stem in, alsof vandaag niet anders is dan gister. Na het laatste refrein vraag ik:

'Ga je echt naar Beer?'

'Dat zei ik toch.'

'Wil hij het ook?'

'Ik ga hem verrassen,' zegt ze met een big smile.

'Dus hij weet het niet?'

'Nou en? Boeiend. Gewoon: Surprise!'

'Maar, als hij er niet is. Of erger, als er al een vriendin is.'

'Jeetje, wat doe jij moeilijk. Laat mij mijn plannen maken en maak jij een plan voor jezelf.'

'Maar zolang je moeder het niet weet, kan ik het haar niet vragen. Andere plekken kan ik niet bedenken.'

'Dat is jouw probleem. Je hebt toch nog je oude vriendinnen? En trouwens, misschien vertel ik mijn moeder wél dat ik ga. Ik weet het nog niet. Ik app je als ik het heb gedaan, maar ik beloof niks. En

nu zeg ik er niets meer over.'
'Maar...'
'Volgens mij heb jij gister gezworen er niets over te zeggen.' Donja kijkt me aan alsof ze me een onvoldoende geeft.
'We zijn toch met z'n tweeën? Niemand die ons hoort.'
'Gezworen is gezworen.' Ze verhoogt haar tempo en fietst al snel een paar meter voor me uit. De punten van haar rok fladderen achter haar aan. Ik fiets rustig door en voel geen reden om haar in te halen. Soms kan ik Donja voor geen meter volgen. Als zij een idee in haar hoofd heeft, is het net of je er niets over mag zeggen of vragen. Alsof het dan breekt of zo.

'Hé, je bent het wel. Ik twijfelde even.'
Ik schrik van een stem die van achterop komt.
'Ha, Dinky.'
'Ruzie met mijn zus?' Hij wijst naar Donja, die inmiddels een heel stuk voor me uitrijdt. 'Of wil ze niet gezien worden met spijkerbroeken-Pasca?'
'Ik had me vanmorgen verslapen en geen tijd om me te verkleden.'
'Maakt mij niet uit hoor. Hoe vond je het feest?' vraagt Dinky.
'Super cool.'
'En Ard?'
Minstens een liter bloed stroomt direct in mijn hoofd.
'Wel leuk.'
'Wel leuk,' lacht Dinky. 'Volgens mij vond je hem hartstikke leuk.'
Ik durf hem niet aan te kijken.
'Hij vroeg naar je.'
'Echt?'
Dinky knikt.

‘Maar, laat je niet door hem inpakken hoor.’
‘Ik kijk wel uit,’ bluf ik.
‘Mooi. Trouwens, zaterdag over een week is er weer een feest. Je hoort het wel van Donja. Ard zal er ook zijn.’
‘Chill, ik kom.’ Geen idee waar ik dan ben.
‘Top! Ik fiets even door naar Donja.’ Hij knipoogt, roept: ‘See you!’ en verdwijnt op zijn gifgroene barrel richting Donja.

De Duitse werkwoordvervoegingen dansen door mijn hoofd. Zou het waar zijn dat Ard naar me heeft gevraagd? Als er iemand eerlijk is dan is het Dinky, heeft Donja eens gezegd. Dit zal hij dan ook niet verzonnen hebben. Alleen al van de gedachte krijg ik het warm. Wat heeft Ard gezegd? Wilde hij weten of ik wel echt gothic ben?

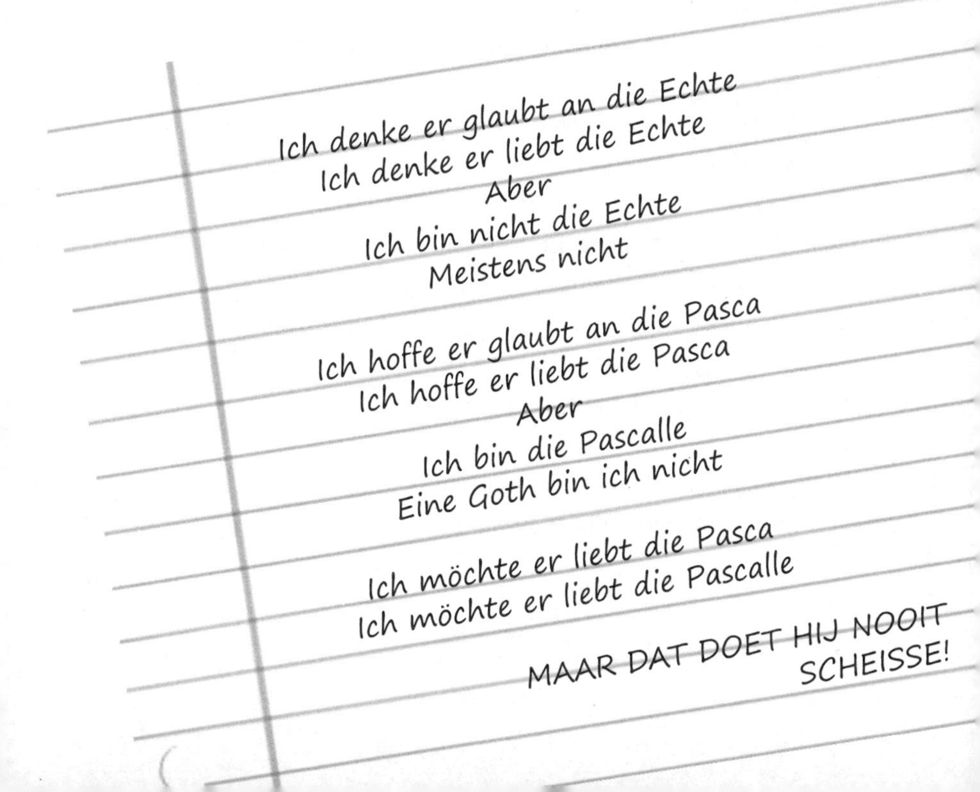

Ik sla mijn schrift dicht. Over negen dagen een gothic party, die kans mag ik niet laten gaan. Als 100% goth, zonder hulp van Donja.

Ik zet de muziek harder en laat me meevoeren. Zingend zweef ik door mijn kamer. Met een extra vibrato bij het slotakkoord trilt de muziek tot in mijn tenen. Even alle vragen vergeten.

'Nee, natuurlijk hoef ik die niet.' Ik prik mijn vork in de rookworst en gooi hem naast de boerenkool op papa's bord.
'Heb ik even geluk,' lacht hij.
'Ik dacht voor één keer kan wel,' zegt mama. 'Bovendien heeft je lichaam vlees nodig.'
'Om puisten te kweken zeker.'
'Dames, dames,' sust papa. 'Laten we het gezellig houden. Als Pasca tevreden is met boerenkool zonder worst, laten we er dan geen woorden aan vuil maken.'
'Oké,' zucht mama. 'Eet smakelijk dan.' Demonstratief snijdt ze een groot stuk worst af en stopt het in haar mond. Dierenbeul.

'Volgens mij zijn alle voorbereidingen voor het personeelsfeest bijna klaar.' Zoals altijd brengt papa het gesprek weer op een veilig onderwerp.
'Mooi,' antwoordt mam. 'En is het met de band ook rond?'
Papa slikt een hap boerenkool weg.
'Ik moet alleen vanavond even bij hun manager langs. Ze willen het voorschot graag cash hebben.'
'Hoeveel kost zo'n band?' wil mama weten.
'1250 euro.'
'Woh,' roept Luc. 'Dat is wel vijf Play Stations.'
'Wat moet je nou met vijf Play Stations?' vraagt mam.

'Hebben,' antwoordt Luc. Na zijn laatste hap vla springt hij van tafel. 'Vanavond moet Pascalle de vaatwasser inruimen.'
Volgens mij is hij aan de beurt, maar ik heb geen zin in ruzie. Inruimen en gauw naar boven gaat sneller. Nog negen dagen, ik moet nu een plan maken.

In de gang valt mijn oog op papa's jas aan de kapstok. Uit de binnenzak steekt een enveloppe van zijn werk. Alsof ik buiten mezelf treed, loop ik naar de jas. Ik neem de enveloppe uit de zak en vouw hem open. Een dikke stapel vijftigjes lonkt. Mijn vingers nemen een paar briefjes van de stapel, schuiven de rest terug in de enveloppe en steken deze weer in paps zak. Ik sprint naar boven en plof op mijn zitzak. Langzaam kom ik terug in mezelf en weet ik dat ik schuldig ben. Mijn hart bonkt in mijn keel en mijn vingers trillen, waardoor ik de briefjes met moeite kan tellen.
300 euro!!
Ik kan ze nu nog terugdoen. Maar het zijn ook twee jurken en nog wat. Beneden hoor ik de deur van de woonkamer dichtslaan.
'Dag Pascalle, dag Luc, welterusten straks,' roept papa.
In gedachten zie ik hoe hij zijn jas van de kapstok pakt en de inhoud van de enveloppe controleert. Ik moet kokhalzen. Wat heb ik gedaan? Ik dwing de zurige boerenkool weer terug, adem zo rustig mogelijk en kijk naar de briefjes in mijn hand. Wat doe ik als hij naar boven komt? Rustig blijven, rustig nadenken. Wat zeg ik dan?
De voordeur slaat dicht. Papa is weg. Nu is het echt. Ik heb 300 euro gejat, gestolen, gepikt van pap.

8

De wekker schreeuwt:
'Je bent een dief, je bent een dief!'
Ik sla op de uitknop en trek het dekbed over me heen. Ik slaap pas net. De hele nacht heb ik gewacht tot pap mijn kamer zou binnenkomen, en liggen piekeren wat ik zou zeggen. Hij kwam niet. Ik had mijn bed uit willen gaan om het geld terug te stoppen, maar ik wist dat hij de enveloppe had weggebracht. Ik ben een dief.
Onder de douche probeer ik dat gevoel van me af te spoelen. Weg, via het putje.
Ik heb gejat! Nee!
Ooit betaal ik pap het geld terug en leg ik uit waarom ik het deed. Hij zal me vast snappen en het me vergeven. Het is goed zo, praat ik mezelf aan. Mijn voet veegt het schuim van de shampoo naar het putje. Ik ben geen dief. Ik heb het geld alleen maar geleend tot ik het kan terugbetalen.

Ik loop naar beneden en schrik op van papa's stem. Normaal is hij op dit tijdstip al lang weg, maar vandaag zit hij nog aan de ontbijttafel. Hij plukt aan zijn kin.
'En toch snap ik het niet.'
'Ga nou gewoon naar je werk,' zegt mama. 'De secretaresse heeft vast een fout gemaakt. Controleer de kas en je zult zien dat er 300 euro te veel in zit. Hier.' Demonstratief zet ze papa's broodtrommel voor zijn neus.

Mompelend verlaat hij de keuken.
'Ik ben even bij Luc.' Ook mama loopt weg.

Nu pas durf ik adem te halen. Ik voel me giga waardeloos. Dit was mijn kans om te bekennen, maar het moment is voorbij. Ik ben een dief. Wat zal papa doen als hij erachter komt? Hij verwacht nooit dat ik het heb gedaan. Of wel? Nee, ik weet het zeker. Maar als hij erachter komt... Ik durf hem nooit meer aan te kijken. Eigenlijk nu al niet meer. Ik verraad mezelf vast. Ik kan maar één ding: ik moet weg. Meteen. Nu weet ik het zeker. Om zo snel mogelijk klaar te zijn, prop ik een droge boterham naar binnen en spoel hem weg met een glas water. Iedere vertraging vergroot het risico dat ik me verraad, of dat ik zo'n softy ben dat ik het opbiecht. Ik moet nu weg!

Weg, maar waarheen? Naar wie? Ik zoek in alle hoeken van mijn hoofd. Eén voor één vallen de ideeën af: Donja: nee, Ard: nee, Saar, Inge: nee, nee. Oma: kon het nog maar. De rest van de familie: die verraden me meteen. Een hotel: onbetaalbaar. Al mijn spieren spannen zich, klaar om te vluchten. Waarom werken mijn hersenen niet mee?

Ineens flitst mijn ontmoeting met Dinky door mijn hoofd. Natuurlijk: Dinky! Alleen moet hij me niet verlinken bij Donja. Snel scroll ik door de contacten in mijn mobiel. Geen Dinky. Wel Übergoth, de naam waarmee Donja zich ooit in mijn mobiel heeft gezet. Maar haar het nummer vragen, maakt me verdacht. Ik moet iets anders verzinnen. Dat is dus opgave 1: op een slinkse manier aan Dinky's nummer komen. Bron: Donja's mobiel. Opgave 2 wordt Dinky bellen, en opgave 3 inkopen doen: jurken, lingerie, make-up. De amulet moet maar even wachten. Maar nu eerst naar school, zodat ze niet naar huis bellen omdat ze denken dat ik spijbel of zo. Daarna wegwezen. Mijn tandenborstel, tandpasta, haarborstel en wat ondergoed smijt ik in mijn sporttas. Vanmiddag opgave 3 en dan heb ik geen kleren van hier meer nodig. Nu stoppen met denken dat ik een dief ben: ik heb het geleend. Geleend, geleend, geleend!

Donja's moeder doet de deur voor me open met haar kapsel nog in een out-of-bed-look.
'Loop maar door. Donja is boven.'
'Hoi Don.'
'Hoi,' zegt Donja. 'Je weet waar alles ligt. Ben naar de wc.'
Woh, meteen de kans om opgave 1 te vervullen. Waar ligt haar mobiel? Terwijl ik mijn jurk uit de kast pak, speuren mijn ogen haar kamer rond. In haar tas? Nee. Op haar bureau? Ergens tussen de kussens? Ik schop mijn spijkerbroek uit. In haar bed? Verdorie. Die rottige kleine knoopjes van mijn blouse willen niet. Waar kan dat ding zijn?
'Zoek je wat?' Met haar mobiel in de hand loopt Donja de kamer in.
'Je mascara,' verzin ik.
'Gewoon op zijn plek, hier.' Donja gooit me de mascara toe en schuift de mobiel in haar bh.
'Wat doe je nou met je telefoon?' Ik probeer mijn schrik te verbergen door de jurk over mijn hoofd te gooien.
'Ik wil Beers antwoord niet missen. Heb hem een appje gestuurd dat ik volgende week kom.'
'Toch?' Ik draai mijn rug naar Donja, zodat ze mijn rits dicht kan trekken.
'Hoezo *toch*?'

‘Ik dacht dat je dat niet nodig vond.’
Donja haalt haar schouders op en sluit mijn jurk.
‘Dat was ik al lang van plan hoor, wijsneus.’
Niet reageren, beveel ik mezelf, terwijl ik mijn gewone kleren in de sporttas prop.
‘Vanmiddag kleed ik me niet hier om.’
‘Je hebt een nieuwe plek? Mooi,’ zegt Donja. Verder vraagt ze gelukkig niets.
Dit keer maak ik mijn ooglijntje zelf. Als ik het resultaat in de spiegel zie, ben ik niet ontevreden. Nog even en ik ben 24/7 gothic, zonder hulp van Donja… en een dief. Zal pap er al achter zijn dat het geld echt is verdwenen? Nee, niet doen, ik moet mijn hoofd bij de goede dingen houden. Dinky’s nummer moet ik hebben, dat is het enige belangrijke.

Kletsend over niets fietsen we naar school. In mijn ooghoek zie ik hoe Donja af en toe tussen haar borsten voelt. Hopelijk reageert Beer snel, want tot die tijd zal ze bij haar telefoon blijven als een grafsteen bij zijn graf.

‘Bonjour mademoiselles Donja et Pascalle, vous voyez brillant aujourd’hui. S’asseyez-vous rapidement, je voudrais commencer,’ zegt mevrouw de Bree.
Halverwege de les veert Donja op en grijpt naar haar bh. Ze steekt haar vinger op.
‘Mag ik naar toilet, mevrouw de Bree?’
‘En français, s’il vous plaît.’
Donja staat al bijna bij de deur.
‘Puis-je allez aux toilettes, madame?’

‘C’est bon, allez vite.’
Als Donja terugkomt, staat haar gezicht op donder.
‘En?’ vraag ik als ze aanschuift.
Ze mompelt iets onverstaanbaars.
‘Qu’est-ce que vous avez dit, mademoiselle Donja?’ vraagt mevrouw de Bree.
‘Rien, madame.’ Donja kijkt in mijn boek op welke bladzijde we zijn. Ik zie haar mobiel weer op de oude plek zitten. De les lijkt wel een dubbel uur te duren.
‘Belde Beer?’ vraag ik als we eindelijk klaar zijn.
Donja schudt haar hoofd.
‘Mijn moeder.’
Zo lukt het me nooit haar telefoon te pakken te krijgen. Ik moet mijn plek nu regelen. Als een clochard onder de brug, dat zou een nachtmerrie zijn. Dat nooit. Maar wacht, vanmiddag gym; dan moet ze haar mobiel wel in de kleedkamer laten. Voor het eerst in mijn schooltijd kijk ik uit naar gym.

Tussen de middag heeft Beer nog altijd niet gebeld. Pap gelukkig ook niet. Nu zal hij me nog niet verdenken, maar als ik straks niet thuis kom… Niet aan denken. Donja scheurt verveeld stukjes van haar boterham en stopt ze een voor een in haar mond. Een kloddertje aardbeienjam ligt als een miniroosje op een van haar zwartgelakte nagels.
‘Dinky vertelde over het volgende gothic feest in *Masjien Tien*. Ga jij?’
‘Dat boeit me nu niet.’ Ze likt de jam van haar nagel en vist de telefoon uit haar boezem. ‘Bel nou! Als hij na gym niet heeft gebeld, doe ik het.’

'Moet je niet *hard to get* spelen?'
'Dat is mijn zaak.'
Voor ik iets terug kan zeggen gaat de bel. Een uurtje maatschappijleer en dan gym.

Wonder boven wonder vliegt het uur om. Als meneer van Pep de kranten verzamelt, waaruit we hebben gewerkt, fluistert Donja: 'Ik ga niet naar gym. Ongesteld, buikpijn. Meld jij me af?' Ze draait zich om en verdwijnt met het nummer van Dinky in haar bh.
'Wacht,' roep ik nog, maar ze reageert niet. Als in een reflex pak ik mijn mobiel en kies Űbergoth. Die naam moet ik echt eens veranderen. In de verte zie ik hoe ze haar mobiel tevoorschijn haalt en op het schermpje kijkt.
'Wat is er?' vraagt ze.
'Heb jij Dinky's nummer voor me. Kan ik vast wat bedenken en regelen voor zijn volgende party, want dan ben jij bij Beer.'
'Als je hem maar niets over mijn plan vertelt.'
'Zijn we vriendinnen of niet?'
'Yep.' Ze geeft me zijn nummer. 'Hé, gaaf joh, dat je gaat. Ga je alleen?'
'Misschien.'
'Mag je van thuis?'
'Wat denk je?' Nu moet ik in mijn rol blijven. 'Zo snel veranderen ze niet van gedachten. Dus als je nog een leuke smoes weet.'
'Hm. Een schoolfeest had je vorige keer al gebruikt, hè?'
'Misschien kan ik dit keer ergens een slaapfeestje in scène zetten. Hoop ik alleen dat ze die ouders niet spreken.' Bijna geloof ik zelf dat ik een smoes nodig heb.
'Als ik iets originelers voor je bedenk, hoor je het wel. See you.'

Dat het zo simpel kan zijn.

Met trillende vingers kies ik het nummer van mijn enige hoop.

'Hé, top dat je belt. Ik kan nu even niet. Wil je dat ik terugbel, vertel mijn piep dan wie je bent.'

'Hallo piep, met Pasca. Vraag je Dinky of hij me terugbelt? Thanks en bye.' Wow, dat ik zo ad rem kon reageren had ik niet verwacht. Maar nu moet hij wel terugbellen. Snel! En gym gaat dus echt niet door. Mijn telefoon in de kleedkamer achterlaten, nooit niet! Een uurtje spijbelen kan er wel bij, volgende week ben ik er ook niet. Ga ik nu lekker shoppen.

Eerst het kleine spul. Een half uur later heb ik een tas vol met strings, een bh, mascara, een kohlpotlood, een blauwe lippenstift, zwarte nagellak, remover en een camouflagestift voor die rottige puisten. Maar gebeld heeft hij nog niet.

Nu de jurk. De verkoopster draagt er dit keer een met een dieprood bovenlijfje en een zwarte rok. Weer zo mooi. De paarse jurk die ik zaterdag paste, hangt er nog. Of die zwarte met kant? S, M, M, L.

'Zal ik achter even voor je kijken of ik hem in XS heb?'

'Ja, die met het spinnenwebkant graag.' Ondertussen loop ik verder door de winkel. Dat glimmende cyberspul hoef ik niet, lijkt me verschrikkelijk zitten, maar de rest mag zo in mijn kast. Misschien moet ik ook naar een jas kijken. Eentje waarin ik me kan verschuilen. Zal er straks een opsporingsteam naar me op zoek gaan? En dat er van die plakkaten hangen: GEZOCHT, met een foto eronder? Of dat de politie twittert dat ik vermist ben? Met al die noobs die het dan retweeten. Nog erger. Rillingen lopen langs mijn rug.

Ik maak mezelf wijs dat ze van de kou zijn.

Aan een rek in het midden van de winkel hangt een mooie, halflange, zwarte jas met batwings en een giga capuchon. Samen met de jurk neem ik hem mee in de paskamer. De jurk voelt net zo perfect als de vorige keer. Of misschien zelfs beter, nu ik weet dat ik hem kan kopen. Ik trek de jas er over aan en het is alsof ik er helemaal in verdwijn. Precies goed. Niemand zal me zo herkennen.

'219 euro alsjeblieft,' zegt de verkoopster.

Zonder op te kijken tel ik het bedrag uit van mijn gestolen, nee, geleende geld.

'Veel plezier ermee.' De verkoopster overhandigt me twee tassen. De tassen met mijn toekomst.

Niet genoeg geld over voor de amulet. Nog wel voor wat eten en drinken. Stel je voor dat Dinky niet belt, dan heb ik dat geld hard nodig. Weer een rilling. Wachten op Dinky's telefoontje heeft geen zin, ik moet aan leuke dingen denken. Even aarzel ik of ik Ard zal bellen, ik heb nu een extra jurk. Ik pak zijn kaartje, maar durf niet. Eerst naar die oude vrouw en vragen of ze de amulet tot ooit voor me wil bewaren. Met de amulet klopt het helemaal. Misschien is het wel heel snel ooit als Ard... of niet. Voor het eerst in mijn leven heb ik geen idee hoe volgende week er uitziet.

Direct na het rinkelen van de winkelbel volgt de stem van de vrouw:

'Jij alweer?'

Haar paaien, flitst door mijn hoofd, en voor ik het weet laat ik mijn aankopen zien. Alleen de lingerie houd ik in de tas.

'Mooi.' Haar stem klinkt zo vlak, dat ze net zo goed lelijk had

kunnen zeggen. Haar handen friemelen aan een papiertje.
Dit moet heel idioot overkomen, bedenk ik me. Ik ken die vrouw helemaal niet. Ik ben niet goed wijs.
'Ik wilde graag zien hoe de amulet bij de jurk staat,' probeer ik de situatie te redden, maar ik voel dat de kleur van mijn hoofd me verraadt.
'Ik zal hem pakken.' Ze loopt naar de toonbank, vist de amulet uit een van de laden en legt hem op mijn jurk. 'Wil je hem kopen?' Alsof er op een knop gedrukt is, verharden haar stem en haar oogopslag.
'Ik heb het geld nog niet.'
'Andere dingen belangrijker?'
Even snap ik niet wat ze bedoelt.
'Je jurk en je jas. Zo te zien heb je een andere keuze gemaakt.'
Ik moest wel, anders lukt het me nooit bij Ard, maar dat zal ik haar niet vertellen. Snapt ze toch niet. Net als ik mijn jas en jurk terugschuif in de tas, gaat mijn mobiel.
'Met Pasca.'
'Hé Passie, Dinky hier. Ik hoorde van piep dat je gebeld had.'
'Klopt. Kan ik naar je toekomen?' Mijn hart bonst in mijn keel. Als hij maar geen nee zegt.
'Naar mij?'
Hij snapt er natuurlijk zero van.
'Ik leg je straks wel uit waarom.'
'Niets ergs met mijn zusje, hoop ik?'
'Nee, maar vertel haar er ook niets over.'
'Wanneer kom je?'
'Zo snel mogelijk.'

‘No problem, je weet waar?’
‘Nee.’
Terwijl Dinky me uitlegt waar ik moet zijn, drentelt de vrouw heen en weer.
Als ik ophang kijk ik op mijn horloge. Eventjes nog, niet opgeven. Ik wandel wat door haar winkel en kijk haar op mijn vriendelijkst aan.
‘Uw spulletjes doen me denken aan mijn oma.’ Daar is niets aan gelogen. In een flits vraag ik me af of ik oma wel mag gebruiken om de vrouw over te halen. ‘Hé, kijk. Ze had precies zo’n koekblik, meestal met van die gesuikerde krakelingen.’ Ik pak het blik met de roze en blauwgrijze bloemen en laat mijn vingers langs de gouden, geschulpte rand glijden. ‘Als de koekjes op waren, snoepte ik altijd de kruimels met de suiker van de bodem. Eigenlijk mocht dat niet, maar meestal deed ze alsof ze het niet zag.’ Ik slik en zie oma’s twinkelende blik voor me.

Het lijkt of mijn woorden de vrouw niet bereiken. Op zoek naar nog een verhaal speuren mijn ogen langs de prullaria. De vrouw legt de amulet terug in het kastje en mompelt nog iets.
‘Wat zegt u?’
‘185 euro.‘
‘Voor de amulet?’
Ze knikt.
‘Ik kom snel terug.’

9

Al van ver zie ik de fabriek liggen. Maf, ik had geen idee dat Dinky hier woont. Die stille vertelt ook nooit wat. Wacht! Ik knijp in mijn handremmen, alsof iedere centimeter verder er één te veel is. Eerst het netwerk van mijn mobiel uit. Stel dat ze me kunnen traceren via dat ding. Opgelucht ga ik verder, alsof hiermee alles is opgelost.

Wow, wat een plek. Dat je hier kan wonen. Ik fiets door de openstaande poort het terrein op. Vroeger moeten hier iedere dag honderden fabrieksarbeiders hun fietsen hebben gestald. Rijen met fietsenrekken wachten nog steeds op hen. In een van de rekken staan twee roestige brikken, Dinky's gifgroene en ernaast een bakfiets. Nog ruimte zat voor de mijne.

Loop maar naar binnen, heeft hij gezegd. *Derde verdieping, vijfde deur rechts*.

De gele toegangsdeur, met een smeedijzeren rooster voor de ruit, opent veel makkelijker dan ik verwacht. De ketting bovenaan de deur spant zich en laat de deur met een dreun dichtveren. Verstijfd sta ik binnen. Het ruikt naar roestend ijzer.

En nu? Mijn voeten lijken net zo zwaar als mijn tassen, toch krijg ik ze in beweging. Via het kleine halletje kom ik in een grotere hal met een knalrode liftdeur. ALLEEN GOEDEREN is er nog net op te lezen. Ik zou mijn tassen er in kunnen zetten; scheelt een hoop gesleep, maar ik durf het niet. Ze hebben hier vast geen 24-uurs liftenservice. Het trappenhuis slingert zich om de lift heen.

Mijn voetstappen echoën van tree naar tree. Een gele liftdeur. Nog een ronde omhoog, halverwege blijf ik staan. Via drie giga ramen kijk ik uit over het spoor. Het draadglas verdeelt mijn uitzicht in duizenden vierkantjes. Derde verdieping. Tegenover de lila liftdeur een lange gang, met pas aan het eind weer licht.

Ik haal diep adem en steek mijn borsten naar voren, precies zoals Donja altijd doet.

'Here I come!'

Eerste deur, tweede, derde, ik hoor muziek, vierde, en ja: de vijfde. Het geluid van snerpende gitaren perst zich onder de deur door. Ik bonk tegen de muziek in, maar krijg geen reactie. Na nog een keer bonken besluit ik naar binnen te gaan. Het kan niet anders dan dat Dinky hier woont.

'Ha, Passie, jij bent snel.' Dinky draait de muziek zachter. 'Gooi je spullen maar neer en ga zitten.' Hij wijst naar de zwartleren bank die ze zelfs bij de kringloop niet te koop zouden zetten. De warmte van een ventilatorkachel blaast langs mijn enkels. Aan de muur hangen ontelbaar veel affiches van party's en concerten.

'De meeste heb ik georganiseerd,' zegt Dinky als hij ziet dat ik ernaar kijk.

'Echt?'

Dinky knikt.

'Samen met wat vrienden heb ik een bedrijfje. We doen minstens veertig events per jaar.'

'Dus je bent bij al die concerten geweest?'

'Klopt. Chill baantje hè?' lacht hij.

Dit had ik nooit gedacht. Donja zegt altijd dat hij zo'n chaoot is, en als ik zijn kamer rondkijk, kan ik me Dinky als regelaar nauwelijks voorstellen. Bijzonder.

'Luister, deze band komt de volgende keer in *Masjien Tien*!' Dinky draait de gitaren weer harder.
Ik plof op de bank. De bassen trillen door tot in mijn buik.

Half zes. Mam zal zich nu wel afvragen waar ik blijf. Ik zie voor me hoe ze door de keuken ijsbeert en eigenlijk met het eten wil beginnen. Ze zal wel mopperen dat ik weer eens niets van me laat horen. Ze heeft vast al gebeld. En misschien zelfs naar Donja, omdat ik niet opneem. Shit, Donja. Straks komt ze hier langs. Wat doe ik ook eigenlijk?
'Je hebt Donja niets gezegd hè?' schreeuw ik over de muziek.
'Wat?'
'Donja weet toch niet dat ik hier ben?'
Dinky draait het volume terug en loopt naar een roestige koelkast in de hoek van zijn kamer.
'Ik heb Donja niets verteld. Ik heb haar niet eens gesproken. Hoezo?'
'Ik ben weggelopen.' Pas nu ik het zeg, voel ik dat het echt is. Ik ben weggelopen. Blij? Opgelucht? Ik weet het niet, ik ben weggelopen, weggelopen. Mijn hart klopt zo snel, dat mijn bloed als in een achtbaan door mijn aderen lijkt te razen. Ook daarvan weet ik nooit zeker of ik het leuk vind.
Dinky kijkt me schuin aan.
'Weggelopen?' Shit, straks stuurt hij me naar huis. 'Omdat je geen goth mag zijn?'
Ik knik zo normaal mogelijk *ja*, maar het is of mijn nek die beweging niet wil maken. Die heeft door dat ik niet alles vertel.
'Hoe weet jij dat?'
Dinky lacht.
'Mijn zusje vertelt me wel eens wat, maar over je wegloopplannen

had ze nog niets gezegd.'
'Ik wil haar er niet mee lastig vallen. Mijn ouders zullen haar wel bellen met de vraag waar ik ben. Dan kan ze maar beter niets weten.'
'En je wilt zolang hier blijven? Prima hoor, maar je weet dat Donja hier regelmatig binnenvalt?'
'Als ik geld heb, zoek ik een andere plek,' bluf ik, maar de paniek schiet door mijn hoofd. Ik dacht dat dit een oplossing zou zijn, maar dat is het helemaal niet.
'Relax. Ruimte genoeg, en het wordt hier pas over anderhalf jaar gesloopt.'
'Dank je.' Ik had echt niet geweten wat anders. 'Enne, ik hoop Donja hier zo lang mogelijk buiten te houden.' Ze zal woest zijn.
'Oké, wat jij wilt. Kom, laat ik je zien waar je kunt onderduiken.' Dinky loopt de kamer uit. Snel klim ik overeind van de bank en volg hem. Aan de overkant van de gang opent hij een deur door hem met zijn hele lijf een zet te geven. 'De deur klemt, maar hier ligt een matras en je hebt de luxe van een wastafel. Ik breng je zo wel een dekbed en lakens. De douche en een keukenblok zijn achter in de gang. Als je wat nodig hebt, weet je me te vinden.' En weg is hij.

Giga, wat een ruimte! Het plafond is zeker vier meter hoog. Langs de muren en het plafond loopt een doolhof van buizen. Op de vloer ligt een versleten zeil met afdrukken op plaatsen waar ooit iets zwaars heeft gestaan, en nog steeds die ijzerlucht, alleen muffer. Kan dat raam niet open? De zonwering laat zich met horten en stoten omhoog trekken. Bah, wat een stof, het dringt zich op in mijn neus.

'Hatsjoe!' Alsof de nies een luik in mijn hoofd openblaast, schiet er van alles door me heen. Wat doen pap en mam nu? Hoe reageren ze? Hebben ze de politie gebeld? Aangifte gedaan? Is de politie nu naar me op zoek? Kunnen ze me traceren via mijn mobiel? En Donja? Pap en mam hebben haar vast gebeld, dus ze weet het. Woedend zal ze zijn. Straks ontdekt ze dat ik hier ben. Wat moet ik zeggen? Stop! Stop hiermee! Ik ga al, ik ga terug. Naar huis. Nu kan het nog. Misschien. Ik leg het ze wel uit. Dat ik in de war was en zo. Dat ik goth wil zijn en bij Ard. Nee, nee! Niet naar huis. Dan was alles voor niets. Stop! Stop, ik word gek. Wat moet ik doen? Ik moet rustig worden. Mijn notitieboekje! Ik laat me op de grond zakken.

ik word gek
gedachten razen
razen razend
door mijn kop
STOP!
ik word gek
gedachten racen
racen roekeloos
door mijn kop
STOP!
stop het razen
stop het racen
rustig
rustig worden
rustig doen
niet denken
ik moet DOEN!

Tijdens het schrijven wordt mijn ademhaling rustiger. Ik moet niet in paniek raken. Geen rare dingen doen. De eerste dingen zijn gelukt: ik heb kleding, ik heb een plek, ik blijf Pasca, óók zonder Donja. Nu kan ik Ard bellen. Ik ben er klaar voor. Even zal ik mijn mobiel toch wel kunnen gebruiken? Ik aarzel, maar ik moet nu bellen. Wachten kan niet meer, wil ik niet meer. Doe ik hem daarna meteen uit.

Als ik mijn netwerk aanzet, stromen de whatsappjes binnen. Voor het eerst in mijn leven interesseren ze me niet. Ik kies het nummer van Ard en schrik als hij meteen opneemt.

'Ard Wadoritz'

'Hallo, Pasca hier.' Herinnert hij zich me? 'Eh, Passie'

'Ha, Passie. Goed dat jij belt.' Zijn stem met dat vreemde accent kriebelt in mijn oor.

'Je gaf me je kaartje met de vraag te bellen.'

'Ja, je bent mooi. Ik doe graag een shoot met jou.'

'Een shoot?' Meent hij dit?

'Een fotoshoot.'

'Net als met Donja?'

'Ja, exact.'

'Leuk.' Geweldig!

'Morgen?' stelt hij voor.

'Hoe laat?'

'Om elf? Op *De Verandering*, in de oude industriehaven.'

'Waar?'

'*De Verandering* is mijn schip.'

'O, zo. Goed, morgen om elf uur.'

'Neem minstens twee jurken en je make-up mee.'

'Doe ik.'
Yes! Een fotoshoot met Ard. Als goth. Ik weet niet eens of het geld oplevert, maar dat maakt niet uit. Ik dans een rondje door de ruimte en pak een van mijn tassen, tot ik opschrik van mijn ringtone. Stom, vergeet ik hem uit te zetten. Het is toch niet Ard die afbelt? Nee, Übergoth. Ik druk haar weg, zet mijn mobiele netwerk uit, pak mijn jurk uit de tas en houd hem voor me. Die is duizend keer belangrijker. Was hier maar een spiegel, zelfs de ruit weerspiegelt niets. Dan wordt er geklopt en direct vliegt de deur open.
'Man, je laat me schrikken.'
'O, sorry. Hier is een dekbed en wat lakens. Ik heb ook nog een handdoek, maar hij is wat dun.'
'Geeft niet. Alles is beter dan niets.'
'Mooie jurk.'
'Vind je? Geschikt voor een fotoshoot?'
'Heb je een date met Ard?'
'Ja, morgen.'
'Gaaf, moet lukken met die jurk. Maar kijk wel uit voor dit soort types. Ard is aardig hoor, maar laat je niet overrompelen. Ik heb trouwens een pizza in de oven, wil je een punt?'
'Lekker. Ik heb best trek. Maar, wat bedoel je met *dit soort types*?'
'Ach je kent ze wel. Die lui die hun handen niet thuis kunnen houden. Zeg het hem meteen als hij te ver gaat. Dan snapt hij het wel.'
In gedachten herhaal ik Dinky's woorden.
'Ik zal het onthouden,' beloof ik hem, al kan ik me nauwelijks voorstellen dat Ard werkelijk zo is.

Die avond in mijn nieuwe bed kan ik niet geloven dat ik het ben. 100% weggelopen, 100% goth en morgen een fotoshoot bij Ard. Mijn jurk hangt al klaar over de stoel, mijn string ligt er bovenop. Heel even had ik hem aangedaan, raar en gaaf tegelijk. Gek gevoel, zo'n stukje stof tussen mijn billen. Iedere keer gleed het tussen mijn bilspleet. Hoe ik ook liep: met mijn billen ontspannen, met mijn billen geknepen, half ertussenin. Minstens tien keer ben ik de kamer op en neer gelopen, met grote passen, met kleine passen. Niets hielp. Had ik daar maar opgelet bij Donja, dan had ik nu geweten of er niets mis mee is. Toch voelt het goed, sexy zelfs, maar ook vreemd. Voor vannacht nog maar even mijn gewone slip.

De veren van de matras prikken in mijn rug, het beddengoed ruikt muffig. Ik lig te draaien. Iedere keer als ik op mijn horloge kijk is het pas een kwartier later. Hoe vaak heb ik nu al gekeken? De kamer lijkt in niets op een slaapkamer. Normaal zou ik het 's nachts in zo'n gebouw doodeng vinden, maar nu maakt het me niet uit. Morgen Ard! Steeds weer sluipen pap, mam en Donja mijn hoofd binnen, maar de gedachte aan Ard wint.

10

DE EENHEID, VROUWE ALEIDA en *DE VERA DE ING* lees ik op de houten borden van de schepen. Die laatste, dat moet hem zijn. Zelfs met het ontbreken van sommige van de letters kan het niet missen. Hoe dichterbij ik kom, hoe meer roest ik zie. Een leeg colaflesje drijft op het kroos. Ik til de zwarte tule van mijn rok omhoog en stap aan boord. De hakken van mijn rijglaarzen klinken als een heimachine op het dek. Al na drie stappen zwaait een deurtje open en komen een bos blonde krullen en een paar blauwe ogen naar buiten.

'Passie, kom binnen.' Ard draait zich weer om en verdwijnt in de stalen diepte. Mijn hart maakt nog meer herrie dan mijn hakken en mijn adem wil niet verder dan mijn keel. Ik daal een paar treden af in ik-weet-niet-wat. Voorzichtig laat ik de lucht weer binnenstromen, een mengsel van olie, verf en andere walmen is zo sterk, dat ik het bijna proef. De ruimte is niet groter dan drie bij drie meter en is gevuld met twee gouden love-seats, bekleed met een pantervel. Als Ard mijn jas aanneemt, herken ik zijn kruidige lucht.

'Koffie?'

'Heb je thee?'

'Ja, moment, ben zo terug.' Hij verdwijnt door een deur tegenover de ingang. Zo te zien daalt hij weer een paar treden.

Aan de zwarte en lila wanden hangen allerlei foto's. In zwart-wit en kleur, van goths, mannen en vrouwen, van kastelen en bruggen.

Snel scan ik ze op zoek naar Donja, maar ik vind haar niet. Wel heel veel andere meisjes en vrouwen, allemaal even mooi.
'Hoe vind je ze?' Ard komt binnen met twee mokken in zijn handen.
'Schitterend.'
'Straks hangt jouw foto daar ook bij.'
Ik voel mijn wangen naar rood verschieten. Meent hij dat?
'Heb je ervaring?'
Voorzichtig schud ik nee.
'Geen probleem. We bouwen het rustig op.'
Mijn hartslag versnelt. Straks ziet hij dat ik amper borsten heb en sprietarmen.
'Vind je het spannend?'
'Beetje.'
'Relax, niets is zo mooi als een debuterend model. Kom, ik laat je de studio zien.'

We dalen een paar treden en komen via een minikeukentje in de studio. Dit is zo cool! Witte wanden, grote en kleine lampen, paraplu's op standaarden en in het midden aan het plafond hangt een groot, zijdeachtig, zwart doek dat doorloopt tot over de grond. Daarop een mooie staande spiegel en een zwarte kubus. Hier gaat het gebeuren.
'Al eens in een studio geweest?'
Ik ben nooit verder gekomen dan de bus van de schoolfotograaf, maar dat klinkt zo suf. Opnieuw schud ik mijn hoofd.
'Geeft niks. Daar achter is een kleine kleedruimte met make-up tafel. Er staat ook nog wel wat foundation, kan je je gezicht iets bijwerken, zodat het wat minder glimt. Zet ik de spullen klaar.'

In de kleedkamer hang ik Donja's jurk aan een knaapje. Ik ga op het krukje voor de spiegel zitten en bekijk mijn spiegelbeeld. Dit slaat nergens op. Waarom ben ik eigenlijk gegaan? Ik had niet naar Donja moeten luisteren. Nu kan ik niet meer weg en ik weet nog niet eens hoeveel geld het oplevert. En als Ard straks goed kijkt, zal hij zich wel snel bedenken. Hooguit een half uur, dan dumpt hij me.
Een zachte klop op de deur.
'Heb je nog iets nodig?'
'Nee, dank je.' Hopelijk hoort hij de trilling in mijn stem niet.
Aan al die foto's te zien, kan hij modellen genoeg krijgen. Ik voel mijn buik rommelen en probeer mijn gedachten te stoppen. Niet twijfelen, dit is mijn kans!

Vanuit de studio klinkt zachte pianomuziek. Snel wat poeder, zoals hij zei, en dan gaan. De ijle stem van een zangeres mengt zich met de tonen van de piano. Ik sta op, recht mijn rug en hef mijn borstbeen. Mijn hoofd richt ik iets schuin naar beneden en ik kijk verleidelijk in de spiegel, zoals Donja en ik samen oefenden als we foto's met onze mobiel maakten. Ik haal nog een keer diep adem en loop terug naar de studio. De string schuurt tussen mijn billen.
'Klaar?'
'Ik denk het wel.'
'Prima. Vind je de muziek mooi?'
Ik knik en kijk zo relaxed mogelijk, maar voel dat het niet lukt.
'Kom maar hier op de backdrop.' Hij heeft het zwarte kleed vervangen door een licht grijsgroene. 'We gaan eerst gewoon wat spelen en een paar proeffoto's nemen. Hier, pak dit maar.' Ard geeft me een lange zwarte sjaal van echte zijde. 'Gooi hem op, vang hem, slinger er eens mee. Doe wat je invalt.'

Een giechel ontsnapt me. Als hij me maar niet te puberaal vindt.
'Toe maar, speel. Er staat nog niemand achter de camera. Ga op in de muziek, net als op de party.'
Uit de installatie klinkt:
No, I must be dreaming. It's only in my mind. Not real life. No, I must be dreaming. De zinnen uit *Bleed* van *Evanescence* brengen me in wat ik denk dat de juiste stemming is. Ik laat me meeslepen in de droom van de zangeres en gooi de lap met een zwaai omhoog.
'Geweldig, ga door.' Ard loopt naar een van de paraplu's en verstelt hem wat.
Ik laat de sjaal langs mijn gezicht glijden en waag het erop Ard aan te kijken. Onze ogen treffen elkaar, het is of een energiestroompje ons verbindt. Een vreemd, maar prettig gevoel golft door mijn hele lichaam. Dit heb ik nog nooit meegemaakt, dit is te... te ik weet niet wat. Met een draai wend ik me van hem af... even niet... of wel?
'Hou dit gevoel vast, dan maak ik wat proeffoto's.'
Ik wil er niet te veel op letten hoe hij om me heen loopt, maar iedere klik geeft een tinteling langs mijn huid.

'Even pauze,' zegt Ard na een tijdje. 'Laat ik je de eerste resultaten zien.' Hij loopt naar een laptop in de hoek van de studio en sluit de camera aan. Ze kunnen bijna niet mooi zijn. Ondanks die push-up heb ik nog steeds een decolleté van niets. Straks wil hij niet verder, denkt hij dat het nooit iets wordt. 'Kom, kijk.' Ard trekt me dichter naar zich toe. In mijn ooghoek zie ik dat hij me aankijkt. Ik dwing mezelf naar het beeldscherm te kijken. Ben ik dat? Zo anders dan anders, ik lijk wel mooi, echt mooi. En 100% goth. Mijn ogen laten

het beeldscherm niet los, terwijl Ard de foto's voorbij laat komen.
'En?' vraagt hij.
'Wel mooi.'
'Wel mooi? Ze zijn subliem! Het is alsof je al jaren model bent.' Ard lacht. 'Of ben je dat stiekem ook?'
'Nee,' schrik ik. 'Het is voor het eerst.'
'Dan is het goed.' Hij laat zijn vingertoppen langs mijn wang en hals glijden. Mijn hart slaat een keer over. 'Nog een sessie doen in je andere jurk?'
'Ja, dat is goed.' Kan ik even alleen zijn in de kleedkamer.
'Wat is de kleur van je jurk?'
'Wijnrood.'
'Mooi, als jij die aandoet, dan pas ik de backdrop aan.'

Even later glijdt Ards blik langs mijn jurk op en neer. Zijn ogen schitteren, blonde krullen springen om zijn gezicht.
'Zullen we?' Ik loop naar de kubus die Ard heeft klaargezet. 'Hoe wil je het?'
'Gewoon zoals net. Dat was perfect.' Ard loopt met de camera naar me toe. 'Je hoofd iets schuin, een beetje naar omhoog. Ja zo! Kijk maar dwars door de camera heen.'

Een uur later legt hij zijn toestel opzij.
'Het was mooi voor vandaag.'
'Nu al?' Juist nu ik het leuk ga vinden.
'Drinken we nog iets en spreken we af wanneer we de volgende shoot doen. Oké?'

'O, oké,' antwoord ik zo *hard to get* mogelijk.

Even later zitten we heerlijk in het zonnetje op de luiken van *De*

Verandering. Bij ieder schip dat voorbij vaart, klotst het water tegen de romp en schommelen we lichtjes heen en weer.
'Zulke groene ogen als die van jou heb ik nog nooit gezien,' zegt Ard. 'Heb je gekleurde lenzen?'
'Nee. Ze zijn helemaal echt. Al had ik laatst zoiets vreemds. Ik was in een winkeltje, en daar hadden ze een hele mooi groene hanger; een amulet of zo. Toen ik die om had was het net of mijn ogen nog groener werden. Ik wist niet dat het kon.'
We kijken elkaar aan.
'En jouw blauwe dan?' vraag ik.
'Net zo echt als die van jou, maar niet zo speciaal.'
Ik ga steeds meer geloven dat hij het meent. Ik wil dit Donja zo graag vertellen, dit is zo top.
'Waar denk je aan?' vraagt Ard.
'Nergens.'
'Dat geloof ik niet, maar oké. Wanneer doen we de volgende shoot?'
'Maakt mij niet uit.'
'Morgen?' stelt hij voor.
'Goed, weer om elf uur?'
'Prima. Dan laat ik je ook de foto's van vanmiddag zien.'
Bij het afscheid krijg ik een handkus. Op de fiets blijf ik zijn lippen op de rug van mijn hand voelen. Ik zing het lied waarmee we de shoot begonnen:
'No, I must be dreaming. It's only in my mind, not real life. No, I must be dreaming,' en ik weet zeker dat dit wel real life is!

Zingend rijd ik het fabrieksterrein weer op. O nee! Donja's fiets!

Snel kijk ik om me heen, maar ik zie haar nergens. Ze moet bij Dinky zijn. Ik spring weer op mijn fiets. Wegwezen! Aan de zijkant van het gebouw steekt een soort laadplateau uit de gevel. Op het plateau staat een stapel pallets, waar ik me achter kan verbergen.

O, waardeloos. Het is zo logisch dat Donja bij Dinky niet te vermijden is. Ik had hier niet heen moeten gaan. Het lijkt of ik mijn hartslag tussen de gebouwen hoor echoën. De dreunen doen pijn in mijn hoofd. Half zes. Wie weet hoe lang ze nog blijft. Ik kan nu niet naar binnen, geen idee wat ik zou moeten zeggen. Hopelijk gaat ze zo naar huis om te eten. Naar huis. Zij wel. Shit. Dinky zal mijn schuilplek toch niet verraden? Als Donja het weet, weten pap en mam het vast ook zo.

Ik dwing mijn gedachten terug naar vanmiddag. Ik zie Ards mooie lichaam, hoor zijn lach en het klikken van de camera. Morgen de volgende shoot, en de laatste fotoserie zien. Het liefst ging ik nu meteen terug, maar dat zou wel heel kneuzerig zijn.

Ja, daar, Donja! Eindelijk, het begint al te schemeren en mijn maag knort. Ik moet me inhouden haar niet automatisch te roepen. Ik grijp de pallets vast, zodat ik niet naar haar toe kan rennen. Pas als Donja het terrein af fietst, durf ik los te laten. Snel pak ik mijn spullen, zet mijn fiets in de rekken en ga naar binnen.

Mijn tas met kleren en make-up gooi ik in mijn kamer en ik loop direct door naar Dinky.

'Dinky,' schreeuw ik boven de muziek uit.

'Ha, eindelijk.' Net als gister zet hij de muziek zachter. 'Je moet het Donja vertellen.'

'Wat?'

'Ze is ziek van de ellende. Eerst was ze vooral woest, maar nu is

ze zo bang dat er iets met je is gebeurd. Je ouders bellen haar bijna ieder uur, de politie is gewaarschuwd. Ze wordt knettergek.'
'Echt?'
'Ja, wat denk jij?' Dinky kijkt geïrriteerd. 'Ik heb je beloofd niets te zeggen, maar het is wel mijn zus, hè. Ik geef je 24 uur. Anders vertel ik het.'
'Maar als Donja het weet, kan ze vast haar mond niet houden tegen mijn ouders en de politie.'
'Dat is jouw probleem. Je hebt geen benul hoe ze zich voelt, ze is doodsbang. Snap je? Zo ga je niet met vrienden om.' Dinky draait de muziek weer harder. 'Morgenavond voor 7 uur, anders doe ik het.'

Terug in mijn kamer plof ik neer op de matras. Op de grond liggen mijn krabbels van gister. Ik verfrommel het papier tot een prop en smijt het in een hoek. Kon ik de gedachten aan pap, mam, Donja en de politie maar in de hoek smijten. Zelfs Luc mis ik. Ik verlang terug naar toen alles gewoon was, maar dan wel met Ard. Toen Donja gewoon mijn vriendin was en ik haar alles kon vertellen.

11

'Passie! Wat ben je vroeg,' klinkt Ards stem vanaf het voordek. Hij komt overeind met een kwast in zijn hand. In plaats van een mooi overhemd draagt hij een vaalrode overall met zwarte vegen. Snel trekt hij de bandana, waarin zijn krullen zijn weggestopt, van zijn hoofd

'Ik was zo benieuwd naar de foto's.' Niet *hard to get*, zou Donja zeggen, maar met haar heb ik niets meer te maken. 'Te vroeg?'

'Ja,' antwoordt hij nors. 'Ben zo terug.' Via een luik laat hij zich in het schip zakken.

Foute zet, geloof ik. Aarzelend vraag ik me af of ik hier moet wachten, of dat ik aan boord kan gaan. Ik besluit het laatste te doen en wacht half zittend op de reling tot hij naar buiten komt. Het kan niet anders dan dat de foto's tegenvallen en hij me wil dumpen. Misschien kan ik beter gaan. Ik heb helemaal geen zin me door hem te laten vernederen.

Net voor ik in beweging kom, roept Ard me. Door zijn warme stem vergeet ik direct mijn aarzeling. Hij kijkt me lief aan. Met zijn strakke zwarte broek, witte overhemd en deze glimlach lijkt hij in niets op de Ard van zonet.

'Wat zijn ze mooi geworden,' verzucht ik als Ard me de foto's laat zien. Ik kan bijna niet geloven dat ik het ben. Ik zie een jonge vrouw, misschien met een wat kleine boezem, maar nergens

spillebenen of puisten. Zoals ze in de camera kijkt. Het is net of ze een écht model is. En dat model, dat ben ik, Pasca. Met Pascalle heeft dit niets te maken.
'Ik heb een plan voor vandaag.' Ard glimlacht. 'Het is zulk fantastisch weer. We gaan naar buiten. Moet je op tijd thuis zijn?'
Ik schud mijn hoofd. Hij moest eens weten.
'Daarna gaan we ergens wat eten en breng ik je thuis.'
'Nee, eh, ja, leuk, maar je hoeft me niet thuis te brengen.'
'Wat jij wilt.'

'Waar gaan we heen?' vraag ik als we even later in de auto zitten. Gelukkig rijdt hij in een veilige richting: weg van huis, school en van de stad.
'Naar slot Wilgenbos.'
'Een slot?'
Ard lacht.
'Een schitterende plek, dé spot voor een shoot met jou.' Bij het schakelen raakt de rug van zijn hand mijn knie. De aanraking doet mijn bloed sneller stromen. 'Een uurtje rijden.' Ard kijkt me aan. 'Mooi tijd om wat meer over jezelf te vertellen. Ik weet alleen dat je een vriendin van Dinky's zus bent.'
'Klopt.' Of beter gezegd: klopte, maar dat gaat hem nu niets aan.
'Wat wil je verder weten?'
'Gewoon, alles.'
'Nou, eh, ik zit nog op school, ben achttien jaar,' lieg ik. 'Ik hou van gothic kleding en van symphonic of gothic metal.'
'Ga door!'
'Ik woon bij mijn ouders en mijn broertje Luc.' Tweede leugen.
'Ga je na je examen op kamers? Of doe je dit jaar nog geen

examen?'
'Jawel.' Leugen nummer drie. 'En daarna wil ik wel op kamers.'
'Studeren?'
'Geen idee. Misschien word ik wel model.' Ik kijk opzij.
Ards blik ontmoet de mijne.
'Ik weet wel een fotograaf,' knipoogt hij.
'En nu jij vertellen.'
'Ik ben Ard, fotograaf. Heb een eigen studio. Woon op *De Verandering* in de Industriehaven.'
'Ja, dat weet ik al,' onderbreek ik hem.
'Rustig, ik ben nog niet klaar. Ik kom uit het oude Oost-Berlijn, daar wonen mijn ouders nog. Zes jaar geleden kwam ik naar Nederland.'
'Hoe oud was je toen?'
'Negentien.'
'Dus je bent al...'
'Ja, vijfentwintig. Maakt dat uit?'
'Eh, nee,' zeg ik zo normaal mogelijk. 'Waarom kwam je naar Nederland?'
'Hier kan ik leven zoals ik wil. Dat was daar onmogelijk. Eigenlijk ben ik in de verkeerde tijd geboren, maar dat kon ik niet veranderen. De plaats wel.'
'Verkeerde tijd?'
'Ik hoor hier niet. Nu niet. Ik had in de Victoriaanse tijd geboren moeten worden. Mooie tijd, met prachtige mensen. Schitterende grote houten fotocamera's, met zo'n doek waar je als fotograaf onder dook en flitslampen als vuurwerk. Als iemand ooit een tijdmachine uitvindt, ben ik weg. Als eerste!'

Ik herinner me uit de geschiedenislessen dat ik alleen de kleding mooi vond.
'Maar er was toen toch veel armoede, en mensen mochten niets.'
Ard grijnst.
'Vrouwen mochten niets. Mannen deden gewoon wat ze wilden. Niemand die er iets van zei. Juist dat maakte die tijd zo mooi. Maar wees niet bang, voorlopig bestaat die tijdmachine niet, en maak ik er maar het beste van.'
'Ben je daarom goth?'
'Als je het zo wilt noemen, maar ik heb niets met die hokjes. Die doen me teveel aan *den Ost* denken.'
'Maar je kleding dan? En al die modellen?'
'Mooi, nietwaar?' Ard kijkt opzij en legt zijn hand op mijn bovenbeen. Ik weet zeker dat mijn gezicht mijn verwarring verraadt. 'En jij bent de allermooiste.' Hij glimlacht. 'En met jou ga ik vandaag een supershoot doen. We beginnen bij de ophaalbrug.'

Op de terugweg herhaalt de dag zich als een YouTube filmpje in mijn hoofd. De shoot bij het slot, de complimentjes van Ard, de boswandeling, alles. Vlak voor we bij de haven zijn vraagt Ard:
'Was dat winkeltje in de stad?'
'Welk winkeltje?'
'Waar je die groene hanger had gezien? Je hebt me nieuwsgierig gemaakt.'
'O, het is vlak bij de kerk.' Ard rijdt de haven voorbij. 'Maar het is zondag,' zeg ik.
'Klopt, koopzondag.'
'Ik weet niet of ze open zijn, hoor. Het was oud en klein. Ik denk

dat het winkeltje van een oude vrouw is.'
'We zullen zien. Wijs jij de weg?'
'Over het kanaal naar links.' Ik trek mijn capuchon over mijn hoofd. Nu komt het er op aan dat niemand me herkent. Mijn droom is nog maar net begonnen.

'Hier is het.' Het lijkt een eeuw geleden dat ik hier was, maar het was pas eergisteren.
'Kijk eens,' lacht Ard. 'Open.'
Het belletje begroet me. De vrouw zegt niets.
'Ik wil hem de amulet laten zien.'
Tussen de wenkbrauwen van de oude vrouw verschijnt een deukje. Ze loopt naar de toonbank en neemt de amulet uit de la.
'Mag ik hem omdoen?' vraag ik.
De vrouw knikt en reikt me de amulet aan, terwijl ze met een schuin oog Ard van onder tot boven bestudeert.
'Geweldig!' Ard draait zich naar de vrouw. 'Wat is de prijs?'
'250 euro,' antwoordt ze.
Ard pakt een stapeltje geld uit zijn zak, neemt er wat biljetten af en geeft ze haar.
'Maar...' Ik wil Ard waarschuwen dat hij veel te veel betaalt, maar hij geeft me de kans niet om iets te zeggen. Zijn lippen smoren ieder geluid met een zoen.
'Kom, dan gaan we ergens een hapje eten.'
De vrouw loopt met ons mee naar de deur.
'Wees er zuinig op,' zegt ze. Vlak voor de deur grijpt ze me bij mijn arm. Ze draait me naar zich toe en kijkt me strak aan. 'En pas goed op jezelf,' sist ze.
Ik wurm me los en loop snel naar Ard. Wat een heks.

In de tapasbar gloei ik aan alle kanten. Even flitst door mijn hoofd dat ik Donja moet bellen. Straks. We zijn omringd door de geur van knoflook en olijfolie. Wel 12 schaaltjes staan voor ons op tafel, maar ik heb geen honger. Steeds gaat mijn hand naar de amulet. Hij hangt er echt.
'Ik kan niet wachten tot ik je met de amulet mag fotograferen,' zegt Ard, terwijl hij een stokbroodje met tapenade besmeert. 'Ik wist niet dat je ogen nog groener konden worden, maar het is precies zoals je zei.'
'Maar... Weet je, ik kan dit niet aannemen.'
'Niet?'
'Zo'n duur cadeau.'
'Maak je niet druk. Ik vind het leuk je zo blij te zien. Zie het maar als betaling voor de shoots en alles wat nog komt,' zegt hij met een verleidelijke stem.

Voorzichtig neem ik een slokje van mijn wijn. Dat ik nooit eerder wijn heb gedronken, hoeft hij niet te weten. O, bah, wat is dat smerig. Ik slik het snel door en doe alsof er niets aan de hand is.
'Heb je het warm?' vraagt Ard.
Ik knik. Hij legt zijn hand open op tafel. Bijna automatisch leg ik mijn hand in de zijne. Dit is me nog nooit overkomen!
'Ik zal een karaf water bestellen. Dat koelt misschien wat af.' Hij wenkt de serveerster. 'Nog wat water graag.'
'Komt er zo aan,' lacht ze hem toe, terwijl ze haar zwart golvende haar naar achter gooit. Ze is mooi. Ik zie hoe Ard haar nakijkt. Mijn hart pompt het bloed met een razend tempo naar mijn hoofd. Mijn hartslag suist door mijn oren. Plots vangt Ards blik die van mij. Als

magneten trekken onze ogen elkaar aan.
'Alstublieft.' De serveerster zet twee glazen op tafel en schenkt ze vol. De karaf zet ze op het laatste vrije plekje van de tafel.
Ard pakt mijn glas en reikt het me aan.
'Hier, voordat je flauwvalt.' Ik drink het in één keer leeg en schenk mezelf nog een keer in. Even afleiding, anders word ik gek. Ard bestudeert de schaaltjes. 'Neem lekker.' Hij legt wat tapas op mijn bord.
Ik prik met mijn vork in een inktvisring. We moeten zo terug naar zijn boot om mijn fiets te halen. Wat doe ik als hij me binnenvraagt? Hij denkt dat ik achttien ben. Geen vijftien. Wat doe je als je achttien bent? Wat wil ik?
'Smaakt het niet?' vraagt Ard.
'Jawel, maar ik heb niet zo'n honger.'
'Lucky me. Dan neem ik nog wat.'
Een man met een gitaar neemt plaats op een barkruk in een hoekje van het restaurant. Hij stemt zijn instrument, waarna zuidelijke, opzwepende gitaarklanken klinken.
'Da's weer eens wat anders dan metal,' lacht Ard. 'Zonde trouwens hè, van die serveerster?'
'Wat?'
'Zo smakeloos gekleed.'
Ik kijk naar haar, ze draagt een skinny jeans met witte blouse.
'Wil je dat ze een flamencojurk draagt of zo?'
'Hier neem een olijf.' Lachend prikt Ard er eentje aan zijn vork en houdt hem voor mijn mond. 'Flamenco, da's nog erger. Ik bedoel dat je kleding draagt zoals aan het hof: stijlvol, met klasse en passie.'

'Hoe is dat dan?' vraag ik.
'Victoriaans is stijlvol, hoort bij de bovenste klasse en onder de kuisheid zit vooral veel passie verborgen.'
'In flamenco zit toch ook heel veel passie?'
'Die ligt er veel te dik op.'
Inmiddels heb ik het gevoel dat mijn hoofd licht geeft. Nog even en de vlammen slaan eruit. Ard kijkt me indringend aan.
'Juist dat ingetogene, dat subtiele, maakt het spannend en de moeite waard. De rest is tijdverspilling.'
'Ik vind haar best mooi,' stamel ik.
'Nee, jij bent mooi. En lief.'
'En goth?' De vraag floept eruit.
'Stijlvol, met klasse en passie.'
'En als ik morgen in spijkerbroek kom?'
'Zo ben jij niet.'
'Maar als ik het wel zou doen?'
'Heeft alles gesmaakt?' onderbreekt de skinny jeans ons gesprek.
'Heerlijk,' zegt Ard.

'Weet je zeker dat ik je niet thuis moet brengen?' vraagt Ard als we in de auto zitten.
'Ik fiets liever.'
'Zal ik meefietsen? Het is al zo donker.'
'Geeft niet, daar hou ik van.'
'Oké, dan niet.'
Ik voel me licht in mijn hoofd. Ik zou zo mijn bed in kunnen rollen en slapen tot morgenavond. Voor ik het weet zijn we bij Ards schip. Ard legt zijn arm op mijn schouder.

‘Wanneer zie ik je weer? Ik wil nog een shoot met je doen, maar dan weer in de studio. Je bent verslavend,’ lacht hij.
‘Ik heb deze week vrij, dus alle tijd,’ verzin ik.
‘Morgen?’
‘Elf uur?’
‘Perfect!’ Voor ik weet wat er gebeurt, drukt hij zijn lippen zachtjes op de mijne en geeft me een lange tedere kus. Hij streelt met zijn hand door mijn haar. Ik voel me bijna gewichtsloos worden. ‘Mijn mooie Passie,’ fluistert hij in mijn oor. Hij stapt de auto uit, loopt naar mijn portier en reikt me zijn hand als hulp bij het uitstappen. Ik giechel. ‘Niet goed?’ vraagt Ard.
‘Jawel, maar eh, ik word er een beetje zenuwachtig van. Je doet zo...’ Toch ben ik blij dat ik een steuntje heb aan zijn hand. Vragend kijkt Ard me aan. ‘Net of het niet echt is. Als in een film of zo.’
‘Ook dit maakt ons stijlvol. Als je ermee om kunt gaan.’ Ard loopt naar *De Verandering*. ‘Ik haal je tas even.’ Gelukkig vraagt hij me niet om binnen te komen.
Ondertussen pak ik mijn fiets. Oranje straatlantaarns geven het terrein een onheilspellende sfeer.
‘Weet je zeker… ’
‘Jaaa.’ Het is donkerder dan ik dacht. ‘t Liefst laat ik me wél wegbrengen, maar als hij merkt dat ik bij Dinky woon, wordt het verhaal wel heel ingewikkeld.

12

Shit, ik heb Dinky beloofd dat ik Donja voor zeven uur zou bellen. Ik zet mijn fiets in de rekken en kijk hoe laat het is. Half 10. Heeft hij me nog reservetijd gegeven? Maar wat moet ik haar zeggen? Ik kan het niet uitleggen. Ze zal vinden dat ik haar plannen blokkeer en woest zijn. Maar Dinky… Ik doe wel een appje. Ben ik mijn afspraak nagekomen en weet ze dat ik nog leef.

Zodra ik het netwerk van mijn telefoon activeer piept het ene na het andere berichtje binnen. *Zesentwintig oproepen gemist*, staat er op het schermpje. Eindelijk: ik ben ook eens belangrijk. Nee, niet terugbellen. Dan gaat ze doorvragen en vertel ik meer dan ik zou moeten.

Alles ok. Ben safe + happy.
Xxx pasca.

Direct na het verzenden zet ik mijn mobiele netwerk uit.

Dinky's muziek klinkt harder door de gang dan de vorige keren. Als ik bij zijn kamer ben, zie ik de deur open staan. Meteen loopt hij naar me toe.

'Hè, hè, eindelijk. Je hebt Donja nog niet gebeld! Ik had haar net aan de telefoon, en heb me ingehouden. Met moeite. Ik geef je een laatste kans.'

'Sorry, was de tijd vergeten,' stamel ik. 'Maar ik heb haar net

geappt. Twee minuten geleden.'
'Ik had het fairder gevonden als je had gebeld. Ik dacht dat jullie hartsvriendinnen waren.' Hij loopt naar zijn mobiel, die ligt te blaffen op de koelkast. Met 'Hé, jij weer,' neemt Dinky op. Terwijl hij luistert, kijkt hij me indringend aan en loopt naar me toe.
'Misschien wil ze het zelf vertellen.'
Voor ik iets kan doen drukt hij zijn telefoon in mijn handen.
'Hoi.' Wat moet ik zeggen?
'Pasca, wat heb je gedaan?'
'Ik hield het echt niet meer uit.'
'Wat? Wat hield je niet meer uit?' Donja's stem klinkt zo fel dat hij pijn aan mijn oren doet.
'Nou gewoon, thuis.'
'Ik snap je niet.'
'Ik snapte jou ook niet.'
'Wat bedoel je?'
'Dat lijkt me niet zo ingewikkeld.'
'Pasca, doe effe normaal. Ik was doodsbang dat er iets met je was gebeurd.'
'Nou, dan weet je nu dat er niets aan de hand is. Dit is volledig mijn eigen vrije keuze. Duidelijk?'
'Hm, jij je eigen keuze. Da's ook voor het eerst. En weet je wat? Verder zoek je het maar uit, nep-goth.'
Ik geef de mobiel terug aan Dinky.
'Donja?' probeert hij nog, maar ze heeft al opgehangen. 'Boeiend gesprek. Gaan jullie altijd zo met elkaar om?'
Zonder antwoord te geven verlaat ik zijn kamer. Het liefst zou ik Dinky verrot schelden, hem slaan en trappen, de deur dichtsmijten.

Verrader. Maar ik houd alles in, mijn tranen, mijn boosheid, mijn angst en mijn twijfels.

Jij je eigen keuze en *nep-goth* komen uit alle hoeken van de kamer op me af. Donja's woorden stuiteren via de muren, de vloer en het plafond. Ik maak me zo klein mogelijk, alsof ik ze kan ontwijken, maar het helpt niet.

In plaats van een heerlijke nacht, waarin ik droom van Ard, lig ik uren lang te woelen. Waarom heeft niemand respect voor mijn keuzes? Respect, ik proef het woord.

Respect

Respect
Raar woord
Resp Ect
Of juist
Res Pect
Respect
Waar woord
Respect

Steeds als ik in slaap dommel, schrik ik wakker van voetstappen in de gang. Ze komen me halen! Maar dan zijn de voetstappen weer weg, en twijfel ik of ze er wel echt waren.

De volgende ochtend echoën Donja's woorden niet meer zo hard, maar ze doen nog steeds pijn. Ik moet weg hier, naar een veiligere plek. En ik wil naar Ard, 't liefst om in zijn armen een potje te janken, maar dan kan ik het wel vergeten. Die zit heus niet te wachten op zo'n emo-puber. Ik neem de amulet in mijn handen en word langzaam rustig. Ard en de amulet, meer heb ik niet nodig. Dat is mijn keuze. Alles komt goed, ook zonder Donja. Die nep-Übergoth. Ik duw mezelf overeind en laat bij de wastafel een ijskoude waterstraal langs mijn wangen stromen.

13

'Je ziet er moe uit.' Ard heeft de kubus weer op de backdrop gezet.
'Valt wel mee hoor.'
'Dan maar gewoon beginnen?'
'Zeg maar hoe je me wilt hebben.' Ik loop naar de kubus en draai me naar hem om. Ik weet dat ik het kan! Helemaal nu ik 100% gothic ben, stijlvol, met klasse en passie, of zoiets.
Al snel volgt de ene flits na de andere.
'En nu een strengere Pasca,' zegt Ard. 'Ik wil je in de camera vangen.' Hij loopt met de camera naar me toe. 'Draai maar een beetje. Ja! Kijk dwars door de camera.'
Ik gloei weer over mijn hele lichaam. Niet eerder voelde ik me zo, nooit heeft iemand me laten weten dat ik mooi kan zijn.
'Concentreren! Trek de camera naar binnen.'
Oeps, blijven opletten.
'Ja, mooi.'
Ik laat mijn haar half voor mijn gezicht hangen en kijk zo strak mogelijk in de lens. Daarna schuif ik mijn haar juist uit mijn gezicht en sla mijn ogen neer. Ard draait om me heen en schiet de ene foto na de andere.
'Kom weer eens op de kubus.' Hij loopt op me af en komt op zijn knieën voor me zitten. 'Je hebt een mooie hals, zeker met de amulet.' Hij maakt de veter van het lijfje los en schuift de stof wat opzij. Zijn warme vingers raken mijn huid. Voor ik weet hoe ik wil

reageren, vult het klikken van de camera de studio weer. 'Laat nog eens meer zien.' Zijn stem zindert. Even twijfel ik, maar dan trek ik het lijfje nog wat verder los en schuif mijn schouder bloot. Dit heeft hij Donja vast niet gevraagd. 'Mooi, blijf me aankijken.' Het voelt of mijn pupillen groter zijn dan normaal. Het bloed stuitert door mijn aderen. Ik schuif ook mijn andere schouder bloot en recht mijn rug. Onopvallend duw ik mijn jurk nog wat lager, zodat mijn borsten beter zichtbaar zijn. Ik leun voorover richting camera. 'Doe je schoenen uit, en doe het sensueel.'
Ik leg mijn rechter been over het linker en leun voorover om mij laarsje los te rijgen. De camera blijft klikken.
'Super goth, laat me je benen zien.' Zie je wel, hij noemt me goth, super goth zelfs. Zó wil ik in de telefoon van Donja staan. Dit moet ik haar vertellen. Ooit. Of nooit. Nu niet denken aan al die anderen. Zo uitdagend mogelijk trek ik de jurk langs mijn benen omhoog. Halverwege mijn bovenbenen stop ik en ik kijk plagerig in de lens. 'Kom maar op de grond. Duw de kubus opzij.'

Ik ga zijdelings op de backdrop zitten, en trek mijn jurk nog iets hoger, zodat hij net mijn string niet ziet. Wat kan mij het schelen. Een zachte kreun klinkt van achter de camera. Dan legt Ard zijn toestel opzij en loopt naar me toe. Even denk ik dat hij mijn houding wil corrigeren, maar als hij voor me neerknielt en mijn haar streelt, weet ik dat het daar niet om gaat. In slow motion beweegt mijn hand naar zijn gezicht en glijden mijn vingers langs zijn kaaklijn. Kleine stoppeltjes prikkelen mijn vingertoppen. Als in een spiegel kopieert Ard mijn bewegingen. Plagerig knijpt hij in mijn oorlel. Ik hoor hoe ook Ards ademhaling zich versnelt. Hij streelt mijn kuit en schuift mijn jurk verder omhoog.

'Wacht,' fluister ik. Het liefst zou ik de tijd stilzetten.
Dan pakt Ard me bij mijn heupen en drukt zijn lichaam tegen me aan. Zijn hand glijdt langs mijn been naar boven. Ik pak zijn hand voor hij mijn string heeft bereikt, speel met zijn vingers en rol wat van hem af. Hopelijk snapt hij me. Maar Ard trekt me weer naar zich toe en begint me te zoenen. Het lijkt in niets op die keer dat ik op het schoolfeest zoende. Ik zoen zo goed mogelijk mee. Dit wil ik nog wel. Dit wel.

Als Ard mijn oorlel tussen zijn lippen neemt, voel ik het door mijn hele lichaam. Dan duwt hij me op mijn rug, komt half tegen me aan liggen en trekt mijn jurk tot boven mijn string.

'Niet doen,' zeg ik zacht, maar Ard reageert niet.

Hij drukt me verder op de grond en smoort mijn stem met zijn mond. Zijn tong perst zich naar binnen en ik voel hoe iets hards tegen mijn bovenbeen duwt. Ik wil me onder hem vandaan wurmen, maar hij laat me niet gaan.

'Wat een passie,' kreunt hij. 'Ga door.'

'Nee, wacht, ik weet niet of ik dit nu al wil.'

'Ik voel aan je dat je het wilt. Ik voel hoe je huid zachter wordt. Ik zie hoe je ogen glinsteren.'

'Maar...'

'Kom, alles aan jou wil dit.'

Tranen van verwarring prikken.

'Ik kan beter gaan,' zeg ik met een stem die diep van binnen komt.

Ard deinst iets terug. Ik schuif onder hem vandaan en trek mijn jurk naar beneden. 'Sorry,' stamel ik.

'Geeft niet, volgende keer komt het goed.'

Snel pak ik mijn laarsjes. Ik moet weg hier, voordat ik verkeerde dingen doe. Het lukt me maar net mijn veters te strikken. Vanaf de backdrop bekijkt Ard mijn verwarring. Ik doe alsof ik hem niet zie en verlaat opgejaagd de studio.

Ineens staat Ard voor me in de deuropening. Hij pakt me vast bij mijn middel en kijkt me lachend aan.

'Nu niet, echt niet.' Voor ik weet wat ik doe, duw ik Ard opzij en vlucht van boord. De regen komt met bakken uit de hemel.

Pas als ik in de verte de fabriek weer zie, ga ik rustiger fietsen. Ik ben doorweekt tot op die idiote string en mijn mascara zal wel tot aan mijn kin zijn uitgelopen. De regen stroomt via mijn hals tussen mijn borsten, langs de plekken waar Ard me zachtjes aanraakte. Ik ruik zijn geur nog. Wat heb ik gedaan? Ik ben verliefd. En nu verpest ik het. Een deel van me wil omkeren en teruggaan. Het andere deel is sterker.

Hijgend fiets ik het fabrieksterrein op. Bijna veilig. Ik draai mijn fiets richting de stalling, tot ik schrik en verstijf. Papa's auto! Daarnaast de fiets van Donja. Vieze, vuile, onbetrouwbare... stelletje verraders! Ik had het kunnen weten. Ik had vanmorgen mijn spullen al mee moeten nemen. Ze verlinken me gewoon. Al mijn spieren spannen zich. Wegwezen! Ik draai mijn fiets en vlucht, nog sneller dan net. Weg van hier, maar ook niet terug naar Ard. Op de vlucht voor alles.

Tegen de regen, maar vooral ook tegen de herkenning, trek ik met mijn linkerhand mijn capuchon zo ver mogelijk dicht. Met mijn rechterhand stuur ik de vluchtpoging naar de enige plek waar ik nu heen kan. Hopelijk kan ik daar nadenken.

Plotseling getoeter. Piepende banden. Ik rem zo hard ik kan. Een

automobilist draait zijn raam open en roept:
'Opletten juffie. Wil je dood of zo?'
Mijn hart dreunt tegen mijn ribben. Ik heb dat stoplicht en die auto echt niet gezien. Ik had er wel onder kunnen liggen. Was ik dood geweest. Dood geweest. Dood, dood, dood. Voorzichtig fiets ik verder met twee handen aan de remmen. Uit ieder straatje kan een auto komen. Pas bij de kerk voel ik me veilig.

Het water stroomt aan alle kanten langs mijn jas en jurk. Ik laat een nat spoor achter op de uitgesleten, stenen kerkvloer. In mijn kapelletje komt de lucht van opgebrande lonten me tegemoet. Er kringelt nog net wat rook omhoog uit een leeg cupje van een waxinelichtje.
Dood geweest, dood geweest, echoot nog steeds door mijn hoofd als mijn wijsvinger langs de koude P van mijn grafsteen glijdt. Die auto had niet moeten remmen. Dan was alles opgelost. Voor iedereen. Dan was het gewoon over. Klaar. Afgelopen.

Ik ga op een bank zitten en tuur in een van de nog levende vlammen. Gedachten denderen door mijn hoofd, maar ik weet niet meer waar ze beginnen en eindigen. Had ik maar stoplichten in mijn kop. Ik zou ze allemaal op rood zetten. Of dood, dan stopt het denken ook. Ik kijk opzij en lees *St Paulus Pascal*. Zullen ze mij ook begraven? De gedachte onder de grond weg te rotten, doet de haartjes op mijn armen overeind staan. De lucht die daarvan af moet komen. Te walgelijk. Cremeren dan?

Hoe zal de uitvaart van Paulus Pascal geweest zijn? Hoe wordt de mijne? Zou de klas komen? En Donja? Hoe zou Luc reageren? Kan hij eindelijk mijn kamer krijgen, zoals hij al eeuwen wil. En pap en mam, wat zouden die zeggen? *Onze lieve dochter, die zich in korte tijd zo in de problemen werkte? Die geen andere uitweg zag?* Soms las ik het wel eens in de krant: met respect voor haar besluit. Als ik in gedachten mezelf in mijn kist zie liggen, schrik ik. Ze hebben me een spijkerbroek aangedaan en dat suffe T-shirt waarin mijn armen nog sprieteriger lijken dan ze zijn!

Maar ik wil niet dood. Het werd pas net leuk, totdat… Donja zou nooit zo preuts hebben gedaan. Bijna slaat mijn hoofd weer op hol.

Kon ik maar naar oma. Eventjes maar. Alleen om haar alles te vertellen, ze hoeft niets te zeggen. Zuchtend pakt mijn hand de amulet.

'Rustig, eerst rustig worden,' spreek ik mezelf toe. Eén voor één denk ik terug aan alle gebeurtenissen van de laatste dagen. Steeds meer voelde ik me goth worden. Sterker, mooier, steeds meer zoals ik wil zijn. Ik wil terug naar Ard, maar ik durf niet. Nog niet.

Ik doe de ketting met de amulet af, zodat ik hem nog eens kan bekijken. Het groen betovert me net als de eerste keer. De mooiste hanger die ik ooit heb gezien, gekregen van een heel bijzondere vriend, gekocht bij een heel vreemde vrouw. Ineens herinner ik me hoe ze me vastpakte toen Ard de amulet kocht.

Wees er zuinig op… en pas op jezelf, had ze gezegd.

14

De kerkdeur valt met een dreun achter me dicht, alsof hij voorlopig niet meer voor me open wil. Ik trek mijn capuchon ver over mijn hoofd, zodat niemand me ziet en slenter richting de winkel van de oude vrouw. Het slaat nergens op, maar iets beters kan ik niet verzinnen. Lucky me; er brandt licht.

'Goedemiddag. Jij weer? Alleen?' De vrouw zet een grote doos op een tafeltje en loopt naar me toe. 'Gut meid, wat ben je verregend.'

Ik schuif de capuchon van mijn hoofd en voel tranen in mijn ogen springen.

'Is er iets?' vraagt ze. Ik schud mijn hoofd en veeg een traan weg voor hij uit mijn oog rolt. De vrouw kijkt me indringend aan. 'Hoe is het met die jongeman?'

'Goed.'

'En met je vriendin?'

'Donja?'

'Dat meisje waarmee je toen samen was. Ze was hier, omdat ze je zocht. Ze maakt zich zorgen om je, zei ze.'

Nee hè, nou gaat dit mens zich er ook nog mee bemoeien. Kan ik beter meteen gaan.

'Wacht,' zegt de vrouw als ik me wil omdraaien. Net zoals Ard vanmorgen, gaat ze breeduit in de smalle doorgang staan. Met dank aan Übergoth Donja. Ik duw de vrouw opzij.

'Au!'

Daarna volgt het geluid van brekend glaswerk en voor ik weet wat er gebeurt, ligt ze op de grond tussen een paar oude stoelen. Glasscherven glinsteren venijnig om haar heen. Ik schiet op haar af. Wat heb ik gedaan? Haar gezicht vertrekt van de pijn en ze bekijkt hoe een streepje bloed langs haar onderarm stroomt.

'Sorry,' zeg ik zacht. 'Zo bedoelde ik het niet.' Ik reik haar mijn hand, maar ze pakt hem niet aan. Ik draai een stoel in haar richting, zodat ze kan gaan zitten.

'Die moet ik nog verkopen, daar kan ik geen bloedvlekken op gebruiken.' Ze duwt de stoel opzij en strompelt naar een fauteuil achter in de winkel. 'Pak eens een nat doekje voor me.' Ze wijst naar een klein aanrecht. 'In het rechter bovenkastje.'

Ik pak een washandje en maak het nat.

'Zal ik een dokter bellen?' Ik geef haar de natte washand.

'Even afwachten maar.' De vrouw veegt het bloed weg en bekijkt de snee. Het bloeden lijkt al minder te worden. 'Daar, in een van de laatjes onder de kassa ligt een verbandtrommel. Pak hem eens.'

De kassa staat op een toonbank die zo in het museum zou passen. Van de vele lades trek ik de eerste open. Die ligt vol met gereedschap: een roestige tang, wat schroevendraaiers, en allerlei losse spijkers en schroeven. De tweede is gevuld met tientallen pennen, blocnotes en verfrommelde blaadjes papier. Vanuit de derde la kijkt een wat oudere vrouw op een foto me aan. Daaromheen gedroogde roosjes, en onderaan een kettinkje met een groene hanger. Net zo groen als die van mij.

'Kun je het vinden?' Ik schrik en open snel de volgende la waarin een wit, wat verroest blik met een rood kruis ligt. Dat kan niet missen. 'Geef me maar een gaasje en een paar stukken leukoplast.'

Het leukoplast ruikt naar vroeger, toen ik klein was en mama pleisters plakte met kusjes. Alweer prikken er tranen in mijn ogen.

'Nou, zo moet het maar. Dan wil ik nu een glas water. Daarna doe ik een andere blouse aan, voordat ik straks die bloedvlekken er niet meer uit krijg.'

Meteen loop ik weer naar het aanrecht en vul een glas.

'Weet u zeker dat er geen dokter naar moet kijken?'

'Ach, als het bloeden maar stopt.' Ze pakt het glas van me aan en kijkt naar de plek van haar valpartij.

'Zal ik dat opruimen?' stel ik voor.

'Dat ben je me wel verschuldigd, dacht ik zo.'

Ik voel hoe mijn wangen kleuren. Van alles waar ik rood van word, is schaamte wel het meest gruwelijke. Ik heb een oude vrouw op de grond geduwd.

'Ik ga er maar van uit dat je het niet kwaad bedoeld hebt,' zegt ze.

Ik knik een hele kleine ja.

Als de vrouw zich heeft verkleed en weer beneden komt, is in de winkel niet meer te zien wat er is gebeurd.

'Was die vaas duur?' vraag ik.

'Zeker 90 euro.'

Ik kijk naar de plek waar de vaas heeft gestaan.

'Ik zal de verzekering bellen. Dan hoor ik wel of ik nog iets terugkrijg. En anders moeten we je ouders vragen of het via jouw aansprakelijkheidsverzekering kan. Och ja, je ouders, da's lastig zeker? Je bent toch weggelopen?'

Verbaasd kijk ik haar aan. Hoe weet zij dat?

'Je vriendin zei zoiets. Heb je al contact gehad met je ouders?' vraagt ze.

Ik schud mijn hoofd.
'Weten ze waar je bent? Hoe het met je gaat?' De vrouw gaat steeds harder praten.
'Nee.'
'Wordt het dan niet eens tijd iets van je te laten horen?'
Jeetje, waar bemoeit ze zich mee? Oude heks.
'Hier,' ze reikt me haar telefoon. 'Laat ze op z'n minst weten dat je geen ongeluk hebt gehad of zo. Zeg voor mijn part alleen dat het goed met je gaat, maakt me niet uit.'
'Maar het gaat helemaal niet goed met me,' flap ik eruit. Ik kijk naar de telefoon en kan niet anders dan hem aanpakken. Een traan glijdt langs de rand van mijn neus en valt op de drie. De telefoon vervaagt. Als na ik-weet-niet-hoe-lang de tranen minder worden, treffen mijn ogen de ijzeren blik van de vrouw. Zuchtend toets ik het nummer van thuis in. Misschien zijn ze er niet.
'Met mevrouw Van Donkerloods.'
Ik haal adem, maar kan geen woorden vinden.
'Hallo… hallo, wie is daar?' Mama's stem klinkt gespannen, angstig en hoopvol tegelijk. 'Pascalle… Pasca lieverd, ben jij het?'
'Ja.'
'O, meid, waar, waar ben je? Je vader en ik, we...'
Weer glijdt er een druppel langs mijn wang.
'Mam, het gaat… Het gaat goed met me. Dit moet even.'
'Maar waarom? Kom thuis lieverd. Alsjeblieft, kom thuis… kom thuis...' Mama's stem wordt steeds zachter.
Dan brengt de telefoonlijn alleen maar stilte naar beide kanten, af en toe onderbroken door een schokkerige ademhaling.
'Pascalle?' Papa's stem! 'Lieverd, we nemen je niets kwalijk. Wees

niet bang dat we boos zijn. We houden van je.'
Ik weet niet hoe ik moet reageren. Aarzelend druk ik op het rode hoorntje. De vrouw legt haar hand op mijn schouder en reikt me eindelijk een zakdoek aan.
'En nu ga ik een pot thee zetten.'
Ik blaas een hele lange adem uit. Pap en mam klonken echt... ja, echt wat? Ik zou woest zijn. Geld jatten en dan verdwijnen. En dan ook nog een oude vrouw op de grond gooien. Ik weet niet wat het ergst is. Het is allemaal even fout! Ik haat mezelf! Haat, haat, haat! Wat papa zei is allemaal onzin. Dat moest hij zeker zeggen, maar ze houden helemaal niet van me. Alsof je van een dief kunt houden. Waardeloos, liefdeloos. Ik ben een nul.
'Ik ga,' zeg ik als de vrouw met de thee uit het keukentje komt.
'Wil je niets drinken?'
'Nee, dank u.' Ik trek mijn jas aan en loop naar de deur.
'Wacht!'
'Ja, de vaas. Ik breng het geld zo snel mogelijk.'
'Nee, niet om het geld. Dat komt wel goed. Ik heb een ander idee.' De vrouw zet de theekopjes op een gammel tafeltje. 'Je kunt me helpen poetsen vanmiddag. Vergeten we die vaas.' Ik geloof niet dat ik kan weigeren. 'Of had je andere plannen?'
'Nee.' Had ik ze maar.
'Mooi.' Ze steekt haar hand naar me uit. 'Geertje.'
'O, eh, ik ben Pasca.' Haar vriendelijkheid verwart me.

15

Na een kop thee, gaan we aan de slag.
'De niet-gelakte kasten, stoelen en tafels moeten in de boenwas.' Geertje wijst aan welke meubelstukken ze bedoelt. 'En kijk, hier heb ik een stofjas voor je. Het is zonde als er was op je jurk komt.' Uit een van de aanrechtkastjes haalt ze een vaalblauw hoopje stof. Gets, wat een muf ding. Maar alles is beter dan mijn jurk verpesten, dat zou ik mezelf nooit vergeven. Hopen dat niemand me zo ziet.
'Laten we eerst het kleine spul overal afhalen en op het aanrecht zetten. Dan kun je daarna het poetswerk doen,' zegt Geertje.
Binnen een mum van tijd staat het aanrecht vol vaasjes, kandelaars, zilverwerk en serviesgoed. Nooit geweten dat je zelfs zilveren eierdopjes hebt. 'Hier is de boenwas. Met deze lap smeer je de was op het hout, en je kunt het met deze uitpoetsen als je rond bent. Pas op dat er geen klontjes in de hoekjes komen te zitten. Die krijg je er zo lastig weer uit.'

Al bij het openen van het blik ruik ik een bekende lucht. Kan niet anders dan dat oma dit spul ook gebruikte. Via oma glijden mijn gedachten terug naar het telefoongesprek en naar huis. Ik snap niets van pap en mam. Met het doekje veeg ik een klodder vet uit het blikje en begin met de grootste kast. Ik boen of mijn leven ervan afhangt. Als ik eindelijk pap en mam heb weggepoetst, moet ik aan Ard denken. De krassen in het hout zijn net als Ard, toen hij te snel wilde. Of was ik te langzaam? Als ik flink poets zie ik de krasjes

bijna niet meer. Ik voel zijn hand op mijn been, zijn adem in mijn nek.
'Deze moet niet in de boenwas hè?'
Geertje draait zich naar me om.
'Nee, alleen de toonbank nog.' Ze schuift de spulletjes die er nog liggen in een van de laatjes. 'Ga maar om de kassa heen. Die is te zwaar om te verplaatsen.'
'Is goed.' Ik doe een flinke klodder op het blad van de toonbank.
'Hebt u de winkel hier al lang?'
'Bijna twintig jaar.'
'En doet u het alleen?'
'Nu wel,' zucht Geertje.
In stilte werken we verder. Zo snel als ik het blad heb gepoetst, zo langzaam gaan de laden. Ieder laatje heeft een koperen greep en een sleutelgat, waar ik voorzichtig omheen boen. Bij de derde la schiet de foto me weer te binnen. Raar eigenlijk, een foto met roosjes en een ketting in een la. Het liefst zou ik hem nog eens bekijken, maar ik durf niet. Als ik bijna klaar ben met de toonbank is mijn nieuwsgierigheid te groot.
'Wie is dat op de foto in de la?'
Geertje kijkt op.
'Ik zag hem toen ik de verbandtrommel zocht,' verontschuldig ik me.
'Dat was Sophie.'
'Sophie?'
'Zij deed altijd de inkoop.'
'Had u met haar de winkel? Is ze ermee gestopt?'
'In januari is ze overleden.'

'Dit jaar?'
Geertje knikt. Haar handen draaien wat met het vaatdoekje door het sop. Snel ga ik verder met mijn poetswerk. Het laatste deel van de toonbank krijgt zelfs een dubbele behandeling.
'Mijn oma overleed ook in januari.'
'Och. Mis je haar?'
Het voelt of er een droge boterham in mijn keel blijft hangen.
'Zag je haar vaak?'
'Een paar keer per week.'
'Gezellig.'
'We kletsten wat en dronken thee.'
'Een echte oma dus.'
'Ja.' Pas nu merk ik hoe ik haar mis. Oma wist altijd precies wat ik moest doen, als ik het zelf even niet meer wist. Misschien had dit allemaal nooit hoeven gebeuren.
'O jé, al vier uur. Ik moet nog boodschappen doen,' onderbreekt Geertje mijn gedachten. 'Blijf jij even hier? Ik ben zo terug.'

Mijn handen voelen raar van de boenwas, alsof er een laagje op zit.
Net als ik mijn handen flink heb ingezeept, rinkelt de bel van de winkel.
'Dat is snel.' Maar als ik omkijk, stokt mijn adem. Donja!
'Pasca, gelukkig.' Van top tot teen bekijkt ze me.
Shit, die stofjas. Snel knoop ik hem los. Donja loopt op me af, alsof ze me wil omhelzen.
'Wat kom je doen?' vraag ik.
Op een meter voor me stopt ze.
'Je waarschuwen.'

‘Voor jou zeker.’
‘Nee voor Ard, hij is gevaarlijk.’
‘Jaloers?’
‘Nee! Ga niet meer naar hem toe. Straks gaat het mis.’
‘Hij vindt me mooi!’
‘Trap er niet in! Volgens Dinky kickt hij op meisjes die het nog nooit hebben gedaan.’
‘Dat klopt. Onervaren modellen vindt hij het mooist.’
‘Daar heb ik het niet over. Hij wil je het bed in hebben.’
‘Onzin. Je bent gewoon jaloers. Jij was niet mooi genoeg. In één shoot was hij klaar met je.’
‘Pasca, luister naar me.’
‘Ik zou niet weten waarom.’
‘Pasca alsjeblieft.’
‘Nee.’ Ik loop terug naar het aanrecht en ga verder met het wassen van mijn handen.
‘Ik ben je vriendin.’
‘Noem je dat vriendin? Een verraadster ben je. Ik heb je fiets wel gezien toen je met mijn ouders bij Dinky was.‘
‘Ik kon niet anders!‘ Donja hapt naar lucht.
‘Voor mij besta je niet meer.’
Als versteend staat Donja midden in de winkel. Even opent ze haar mond alsof ze iets wil zeggen, maar het blijft stil. In slow motion draait ze zich om en loopt weg.
‘Dan niet.’ Ze verlaat de winkel, zonder de deur te sluiten.
Het belletje rinkelt alsof er niets is gebeurd.

‘Hé, was dat je vriendin?’ Geertje zet een grote boodschappentas op

de grond.
'Ja, was.'
'Was? Wat bedoel je?'
'Ruzie.' Ik hoor een trilling in mijn stem. Van boosheid, van verdriet? Ik weet het zelf niet en wil het ook niet weten.
'Hm, ook dat nog. Wil jij mijn boodschappen voor me naar boven brengen?'
Ik neem de tas van haar over en loop de trap op. De woonkamer ziet er net zo uit als in de winkel, alleen minder vol. Eén wand is helemaal gevuld met een boekenkast. Er staan zeker wel duizend boeken in. Om de ovale tafel tel ik zes verschillende stoelen.
'Eet je vanavond een hapje mee? Ik heb boerenkool. Scheelt mij weer. Hoef ik niet twee dagen uit zo'n gezinszak hetzelfde te eten.'
Bij het woord boerenkool blijft mijn adem in mijn keel steken. Na de laatste keer boerenkool ging het mis. Als ik toen niet… Snel duw ik mijn gedachten weg. Daar word ik steeds beter in. Geertje kijkt me afwachtend aan.
'Het hoeft niet hoor.'
'Eh, jawel. Graag.'
Geertje pakt de tas en loopt door naar de keuken. De melk en boerenkool legt ze in de koelkast. De andere boodschappen verdwijnen in de kast ernaast.
'Wat kwam je vriendin doen?'
'Zich met me bemoeien.'
'En toen kregen jullie ruzie?'
'Ze is gewoon een bitch.'
'Nou, nou. Sophie en ik hadden ook wel eens ruzie, maar dat duurde nooit lang. Bij jullie komt het vast ook goed.'

'Vast,' lieg ik, maar verder wil ik er niet over praten. Straks zegt ze me nog dat ik Donja moet bellen. 'Zal ik beneden de laatste spullen opruimen?'
'Graag. Maak ik het hier gezellig.'

Een half uurtje later schillen we samen de aardappelen voor de boerenkool.
'Ik hoef geen rookworst hoor,' zeg ik, als Geertje de pan water opzet.
'Lust je die niet?'
Ik schud mijn hoofd.
'Vegetariër.'
'Oké, maar ik hoop wel dat je tegen een vleeseter aan kunt kijken.'
'Net.'
Alsof het heel gewoon is, zitten we even later samen aan tafel.
'Voordat mijn oma dood ging, heeft ze een paar dagen in het ziekenhuis gelegen. Ze heeft een beroerte gehad.'
'Och, wat triest.'
'Was Sophie ook ziek?'
Geertje schudt haar hoofd. De kleur in haar ogen verbleekt.
'Ging ze onverwacht dood?'
'Een ongeluk,' mompelt Geertje.
Ik krijg het er koud van.
'Was u erbij?'
'Ze ging even naar de bieb. Uren heb ik gewacht. Ik haalde me van alles in mijn hoofd. Niets is zo erg als wachten in onzekerheid. Tot de politie voor mijn deur stond. Ze was op de fiets. Die vrachtwagen ging naar rechts. Hij had haar niet gezien.'

Een lange stilte ligt als een betonblok tussen ons. Ik zou niet weten hoe ik hem ooit kan verplaatsen. Geertje lukt het wel.
'Ben je al lang weg van huis?' vraagt ze.
'Een paar dagen.'
'Waar overnacht je nu?'
Foute vraag, wist ik het maar. Fronsend kijkt Geertje me aan.
'Bij Ard,' verzin ik. 'De vriend die de amulet kocht.'
'Is dat je vriend?'
Weer haal ik mijn schouders op.
'Nou, fijn dat je een goed onderdak hebt. Verder houd ik er over op. Chocolademousse?'
'Ja graag, al plof ik bijna. Daarna ga ik.'
'Ik breng je zo wel met de auto, het wordt al donker.'

We verlaten de winkel via een donker magazijntje achter in de winkel en komen in een smalle straat. Ik wist niet eens dat hier ook een uitgang was.
'Dat is hem.' Geertje wijst naar een rozerode Kever die bijna tegen de gevel geplakt staat. Ze klimt via de passagiersstoel naar de plek achter het stuur. 'Een of andere sukkel heeft geprobeerd het slot open te breken. Sindsdien krijg ik het linker portier niet meer open.'
Bij het omdraaien van de contactsleutel klinkt een hoog kuchend geluid. De auto schudt heen en weer, gevolgd door stilte. Een verkleurd kerstboompje bungelt aan de spiegel. Geertje probeert nog een keer de motor te starten. Het schudden wordt een rustige brom.
'Goed zo beestje.' glimlacht ze. 'Waar moeten we heen?'
'De Industriehaven.'

Hoe dichter we de haven naderen, hoe vaker Donja's waarschuwing zich aan me opdringt. Nooit geweten dat ze zo jaloers kan zijn. En dat terwijl ik zo vaak jaloers was op haar. Een glimlach trekt over mijn gezicht.
'Hier over de brug rechts,' wijs ik. Het zwarte water trekt een brede streep langs de weg. Na de bocht markeert een oranje schijnsel de haven. 'Daar is het.'
Geertje draait haar auto van de weg. De koplampen werpen hun schijnsel op het houten bord. *DE VERA DE ING*.
'Bedankt voor de lift en het eten.' Met een hoop gekraak open ik het portier.
'Wacht!' Geertje pakt me bij mijn arm, zoals ze toen ook had gedaan. 'Beloof me voorzichtig te zijn. En als er iets is, kom dan naar me toe.'

16

De rode achterlichten van de Kever kan ik bijna tot aan de brug volgen. Daar verdwijnen ze in de rest van het verkeer. Misschien had ik beter mee terug kunnen rijden. Vanmorgen vluchtte ik voor hem, en nu sta ik weer hier. Ik laat me zakken op een van de bolders op de kade. Het voelt koud aan mijn billen, maar voor ik naar binnen ga, moet ik weten wat ik wil. Als ik naar binnen ga, en als hij me binnen laat. Hoe ver ga ik, als ik hem wil? Hij zit steeds in mijn hoofd, in mijn buik. Ik zucht, volgens mij ben ik verliefd, dus dat betekent: ik wil. Ja, ik weet het zeker. Maar hoe ver? Verder dan vanmorgen?
Hij kickt op meisjes die het nog nooit gedaan hebben, herhaalt een stemmetje in mijn hoofd. *Hij wil je in bed hebben.*
'Niet waar,' fluister ik terug. 'Het is gelogen! Dat zou hij nooit doen.'
De twee stemmen in mijn hoofd blijven ruzie maken. Ik krijg het steeds kouder, maar zolang ik het niet zeker weet, moet ik hier buiten blijven. Zachtjes begint het te regenen. Ga ik naar binnen, of ga ik terug naar Geertje? Dat zijn de enige keuzes. Of niet? Kon ik maar nergens heen. Ooit dichtte ik:

Wish I were
in the middle
of nowhere,
the best place to be on earth.
With nobody
without myself,
no-one, nowhere

any time, always

Mijn stem prevelt de poëzie. The middle of nowhere, het midden van nergens, de mooiste plaats op aard. Kon ik daar maar heen. Liefst nu. Ik kijk heen en weer, van de brug richting stad naar *De Verandering*. Ik wilde toch dat alles anders werd? Dan ben ik hier op de goede plek. Maar hoe ver gaat de verandering, hoe ver ga ik?

'Pasca?' In de verte hoor ik een stem. Mijn nek is zo verkleumd dat ik niet eens op kan kijken. 'Pasca, wat doe je hier?' De stem doolt door mijn hoofd. 'Kom, je kunt hier niet zo blijven zitten.' Ik word bij de arm genomen en zachtjes overeind getrokken, maar mijn benen willen zich niet strekken. 'Het is maar een klein stukje.' Dan ineens word ik in een stevige greep genomen. Als een baby lig ik in een paar armen. De zweem van een bekende lucht prikkelt mijn neus. Het ruikt goed en slecht tegelijk.
'Het trappetje moet je echt zelf doen.' Ard zet me neer op de bovenste trede. 'Je bent ijskoud en helemaal doorweekt. Een hete douche zal je goed doen. Ik pak een handdoek, een T-shirt en mijn badjas voor je. Heb je verder nog iets nodig?'

'Nee.'
'Leg je jurk maar om de hoek van de deur, dan hang ik hem boven de kachel om te drogen.'
Braaf doe ik wat hij zegt. Het water glijdt langs mijn huid en verwarmt me. Ik concentreer me op de waterdruppels die me net niet raken. Ze vallen ongestoord op de zwarte tegelvloer, spatten uiteen en mengen zich met het water dat in kleine watervallen van mijn benen is gegleden. Samen stromen ze naar het putje, twijfelen een rondje en verdwijnen.
Als ik eindelijk warm ben, draai ik de kraan dicht. De handdoek is zacht, net als thuis… thuis… thuis… Niet aan thuis denken. Waarom doet mijn hoofd steeds iets anders dan ik wil? Ik trek mijn string weer aan, met Ards shirt en badjas. Ooit leek me dit heel verleidelijk.

Via de studio loop ik naar het keukentje.
'Ben je een beetje warm geworden?' Ard loopt op me af en pakt me bij mijn middel. Al mijn spieren spannen zich. 'Je vriendin was hier vanmiddag.'
'Donja?' vraag ik geschrokken.
'Om te vertellen dat ik van je af moet blijven.' Zijn hand glijdt langs mijn rug omhoog en masseert zachtjes mijn nek. 'Maar volgens mij kan jij prima voor jezelf opkomen.' Ik voel mijn wangen kleuren bij de herinnering aan vanmorgen. 'Jij weet heel goed wat je wilt,' knipoogt hij, terwijl zijn handen door mijn haar kroelen. Langzaam voel ik hoe mijn spieren zich ontspannen.
'Wijntje?' vraagt Ard. 'Ik heb een zoete witte, speciaal voor jou.'
'Graag,' al is het alleen maar om wat bedenktijd te hebben.
Ongelofelijk dat Donja hier ook langs is geweest. Waar bemoeit ze

zich mee? Als ik iets wil met Ard, dan doe ik dat. Het is mijn leven! Ze weet trouwens niet eens of ik het nog nooit heb gedaan. En Ard ook niet. Ze kletst onzin.

Ard zet twee glazen wijn op een tafeltje in de hoek van de keuken. Midden op de tafel brandt een lange rode kaars.

'Waarom zat je eigenlijk buiten?'

'Weet ik niet.'

'Je leek wel het meisje met de zwavelstokjes,' lacht Ard.

'En dan was Donja zeker een jaloerse stiefzuster, of was dat een ander sprookje?' Ik proef voorzichtig een heel klein slokje van mijn wijn. Deze smaakt een stuk minder vies. Of wen ik er al aan?

'Het belangrijkste is dat je hier bent. Die stiefzuster vergeten we gewoon.'

'Deal!' Ik toast op het vergeten van Donja.

'Kom, ik wil met je dansen,' zegt Ard als ik mijn tweede glas leeg heb. 'Voorkeur voor de muziek?'

Zo snel kan ik even niets bedenken.

'Dit vind je vast mooi.'

Zacht geluid van een harp komt uit de boxen en zwelt langzaam aan. Op de achtergrond klinkt af en toe een kerkklok. Na het intro overstemt de ijzingwekkende stem van een zangeres alles, tot de drums ontwaken. Het is alsof de drums en de zangeres strijden om de aandacht. Ard zet de muziek zo hard, dat ik de trillingen voel. Dan loopt hij op me af en reikt me zijn hand. Ik laat me meevoeren door de muziek. Onze bewegingen vormen steeds meer een geheel, eerst zonder dat onze lichamen elkaar raken, maar geleidelijk wordt de afstand kleiner. Onze ogen zijn aan elkaar verbonden en laten pas los als Ard zich tegen me aantrekt. Iedere millimeter van mijn huid voelt zijn aanraking. Een warme gloed trekt steeds dichter naar mijn hart. Ik laat me gaan en leg mijn hoofd tegen zijn borst. Donja kan barsten met haar zogenaamde waarschuwingen.

Als het nummer is afgelopen pakt Ard me weer bij de hand. Samen lopen we door de studio, voorbij de douche naar zijn slaapkamer. Daar laat hij me los, schuift zijn telefoon in een dockingstation en de kamer vult zich met muziek. Dan loopt hij naar me terug en legt zijn handen om mijn taille.

'Waar waren we?'

We pakken het ritme van de muziek op en dansen langs het bed. Het is alsof onze lichamen één zijn. Ards handen glijden langs mijn rug omhoog. Een hand blijft in mijn hals liggen, de ander kroelt door mijn haar. Zachtjes beweegt hij mijn hoofd wat naar achteren en drukt zijn lippen tegen de mijne. Na een eindeloze zoen laat hij me los en trekt me op het bed. Stil liggen we naast elkaar. Ik kus hem op zijn wang en speel met zijn oorlel. Dan duwt hij me zachtjes op mijn rug en friemelt aan de band van de badjas. Even houd ik mijn adem in. Ja, dit mag. Langzaam trekt hij de badjas verder open en streelt me langs de V-hals van het T-shirt. Mijn huid geniet, maar mijn hoofd begint te twijfelen. Zachte kussen glijden van mijn hals richting mijn borsten. Ards hand glijdt langs mijn dijbeen.

'Ik wil je,' fluistert hij. Voorzichtig schuif ik wat van hem weg. Dit is fijn, maar meer wil ik niet, geloof ik. 'Kom.' Hij trekt me weer tegen zich aan. Ondertussen doe ik de badjas wat verder dicht. Ard lacht. 'Ga ik weer te snel?' Hij knoopt zijn overhemd los, trekt het uit en gooit het op de grond.

Ik durf zijn vraag niet te beantwoorden. Ja, hij gaat snel, maar of ik langzamer wil, weet ik niet. Met zijn half ontblote lichaam komt hij tegen me aan liggen. Ik leg mijn hand op zijn rug, maar beweeg hem niet. Hij duwt het T-shirt omhoog, snel doe ik hem weer goed. 'Hm, mag dat niet?' Zijn hand glijdt naar beneden. Hij friemelt aan de zijkant van mijn string en pakt me dan stevig vast. Ik wring me uit zijn greep en schuif opnieuw van hem weg. 'Jij houdt van spelletjes.' Ard laat me los en kijkt naar me. Opgelucht haal ik adem.

Ineens pakt hij me bij mijn heupen, tilt me op en legt me midden op het bed. Voor ik weet wat er gebeurt, ligt hij bovenop me en begint als een gek te zoenen. Ik probeer me te ontspannen, dit moet leuk zijn.

'Je bent onweerstaanbaar,' kreunt hij en trekt in een ruk mijn string naar beneden.

'Nee!' Met al mijn kracht duw ik hem opzij.

'Kom op.' Ard duwt me terug op mijn rug. Hij is te sterk.

'Ik wil niet!' roep ik. Ik weet het zeker, dit wil ik niet. Later, misschien, nu niet.

'Me eerst gek maken en dan terugkrabbelen. Dat flik je me geen tweede keer.' Ards handen bewegen ruw langs mijn lichaam. 'Of is het een spel? Je speelt het goed.' Ards ademhaling versnelt. 'Je maakt me gek.'

Als hij zich even van me af beweegt, neem ik mijn kans. Ik duw hem weg en schiet het bed uit.

'Ik wil niet. Echt niet.' Ik trek mijn kleren recht en wil weglopen, maar Ard heeft me alweer te pakken. Hij duwt me achterover op het bed en komt half op me liggen.

'Kom op kleintje. Je laat je toch niets door die vriendin van je vertellen. Ik weet dat je dit wilt. Doe maar gewoon mee.' Ard pakt

mijn hand vast en brengt hem naar zijn kruis. 'Toe maar,' fluistert hij. 'Doen we het zo, vind ik ook lekker.'
Als ik zijn warme bobbel voel, golft Geertjes boerenkool omhoog. Ard laat me geschrokken los en ik ren naar het toilet. Ik ben net op tijd. Getver, wat voel ik me vies. Ik spoel mijn mond en trek mijn jurk weer aan. Hij is nog half nat, maar het maakt me niets uit.

In de gang staat Ard op me te wachten.

'Je gaat toch niet weg, kleine goth van me?'
'Ik kan het niet.' Tranen van wanhoop stromen langs mijn wangen.
'Wanneer kom je terug om verder te gaan?'
Ik kijk hem aan en weet echt het antwoord niet.
'Je bent het me tenslotte verschuldigd.'
'Verschuldigd?'
'De amulet.'
'Maar die was...'
'... heus niet alleen voor de shoots. Dat snap je toch wel? Het hoeft niet nu hoor. Zeg maar wanneer. Volgende week? Ik wacht wel.'
Voor ik het weet, ruk ik de amulet van de ketting en smijt hem voor Ard op de vloer.
'Als ik hem daarvoor kreeg, dan hou je hem maar!'
De amulet ligt als een groen oog tussen ons in. Even voel ik de neiging mijn droomhanger weer te pakken, maar als ik Ards blik zie, weet ik zeker dat ik dit niet wil. Ik wil hem niet meer aanraken, ik wil niet meer door hem worden aangeraakt. Ik gris mijn jas van de kapstok, pak mijn tas en verlaat zo snel ik kan het schip.

De keien van de kade rennen ongemakkelijk, zeker met mijn grote tas en hakken. Toch verminder ik mijn snelheid pas als de weg weer parallel aan het kanaal loopt. Tranen stromen langs mijn wangen, mijn ademhaling holt nog door. Witte koplampen worden groter, zetten me in de spotlights, en flitsen weg. Rode lampen verdwijnen in de verte. Een stuk krant waait voorbij. Niemand wil meer weten wat erin geschreven staat. Afwisselend loop ik in het donker en in het oranje schijnsel van de lantaarns. Bij de afslag naar de stad aarzel ik. Waarheen? Mijn voeten nemen een besluit en steken de brug over.

Ik ben moe, bij iedere stap wordt mijn tas zwaarder en snijdt de band dieper in mijn schouder. Maar de pijn voelt beter dan Ards dwingende aanraking. Wat een ontzettende klootzak. Alsof mijn lichaam van hem is. Waarom denkt iedereen te kunnen bepalen wat ik moet doen? En ik dan? Heb ik ook nog iets te zeggen? Eindelijk kom ik in de bewoonde wereld. Bijna alle huizen zijn donker, iedereen ligt in bed. In zijn eigen bed, zonder dat zo'n idioot als Ard dingen met ze doet die ze niet willen. Ik wil ook slapen. Gewoon slapen. Alleen. En vergeten. Maar ik kan niets anders dan lopen. Lopen en proberen te vergeten.

Het is al zo laat dat de schijnwerpers bij de kerk uit zijn. De glas-in-loodramen zijn grote zwarte vlakken. Binnen zal het ook wel donker zijn, maar alles is beter dan *De Verandering*. Hoopvol loop ik naar de deur, maar als ik hem open wil duwen, komt er geen beweging. Ik duw met mijn hele gewicht tegen het houtsnijwerk. De deur blijft dicht. Leunend tegen de kerk sluit ik mijn ogen. Ik beeld me in dat ik in bed lig, maar de muur is te hard en de wind te koud. Ik tuur over het plein, vloek en voel me vies. Ik moet een plek hebben voor vannacht. Nu de kerk dicht is, kan ik er maar eentje bedenken: Geertje.

Voor de zoveelste keer deze week loop ik het straatje in. Ik bel

aan en wacht. Geen reactie. Ik druk de bel nogmaals lang in, tot ik boven me een geluid hoor.
'Hallo?' Ik doe een paar stappen naar achter en kijk naar boven. Geertje heeft haar raam opengeschoven en kijkt geschrokken naar beneden.
'Pasca? Wacht, ik kom naar beneden.' Een paar tellen later knipt het licht in de winkel aan. Geertje komt in haar badjas naar de deur gelopen. 'Kom snel binnen.'
Zonder iets te zeggen loop ik achter haar aan naar boven. Ze pakt twee glazen water en gaat aan de keukentafel zitten. In stilte drinken we ons glas leeg. Mijn vingers peuteren aan het gehaakte kleedje op de tafel. Mijn neus loopt vol van de tranen.
'Hij heeft me bijna verkracht,' gooi ik op tafel. Een lange stilte komt er naast te liggen. 'Hij dacht me gekocht te hebben met de amulet. Toen pakte hij mijn hand en... zo smerig.' Ik moet bijna wéér overgeven. Aan die hand en dat smerige ding van Ard wil ik nooit meer denken.
Geertje kijkt me bezorgd aan.
'Wat wil je dat we doen?'
Ik weet het niet. Ik zou Ard in elkaar willen trappen, maar hij zal mij de schuld geven van wat er is gebeurd. Misschien had ik eerder *nee* moeten zeggen. Maar ik wist het echt niet. Ik wist niet hoe ver ik wilde. Kon ik maar verdwijnen. Weg van deze wereld. En nooit meer terugkomen. Er is in mijn hoofd maar plek voor één gedachte: weg, weg, weg. Waarheen weet ik niet, maar wel weg, weg, weg. Het woord zoemt door mijn hoofd.
'Ik wil weg, weg van al die mensen die dingen doen die ik niet wil, weg van al die mensen die zich met me bemoeien. Iedereen weet

wat ik moet doen en hoe ik moet leven.' Mijn vinger past precies in de rondjes van het gehaakte kleedje. Ik vlecht het kleedje aan mijn vinger. 'Ard, Donja. Pap en mam.'
'En jij?'
'Ik? Ik wil slapen... en misschien wel nooit meer wakker worden.' Ik heb het gevoel dat ik ben leeggelopen als een lekke ballon.
'Goed, ik zal wat lakens pakken voor het logeerbed. Morgen zien we wel weer.'

17

Langzaam dringen vreemde geluiden tot me door. Mijn bed voelt warm, maar onbekend. Eén voor één ontwaken de herinneringen aan gisteren. Ard, Donja. Misschien had Donja toch gelijk. Ik draai me nog eens om en trek het dekbed ver omhoog. Gisteravond heb ik wel een half uur mijn handen gewassen, maar ik krijg het vieze gevoel niet van me af. Ik stop de gedachte aan Ard heel ver weg. Ik wil doen alsof het nooit is gebeurd. Kon ik maar voor altijd in bed blijven. Goth of niet, dat maakt in bed niet uit. En er is niemand die zegt wat ik moet doen.

Langzaam zie ik de deurklink naar beneden bewegen. Mijn spieren spannen zich, alsof ik verwacht dat Ard binnenkomt en alsnog verder gaat. Al snel zie ik dat het Geertje is die naar binnen kijkt, geen Ard. Ik ontspan en bedenk hoe idioot die gedachte was.

'Ha, je bent wakker.' Geertje loopt een paar stappen de kamer in. 'Goed geslapen?'

'Best wel.' Het verbaast me, na zo'n idiote nacht.

'Thee?'

'Lekker.'

Even later komt Geertje met een blad met thee en een beschuitje terug.

'Geniet er maar van, want ik doe het alleen vandaag,' lacht ze. 'In de douche heb ik een handdoek voor je klaargelegd. Ik zie je zo wel.'

Met de kop thee in mijn hand kijk ik het kamertje rond. Een giga prikbord hangt aan een muur. Het zit vol met ontelbaar veel gaatjes, krantenartikelen en affiches van rommelmarkten en veilingen.
Bij het raam staat een bureautje met een naaimachine. In de vensterbank zie ik potjes met planten die meer dood dan levend zijn. Grappige kamer. Ik zou hier best willen blijven. Zal ik het haar vragen? Beetje helpen in de winkel. Misschien weer naar school.
Ik draai me op de rand van mijn bed. Als ik opsta valt mijn oog op een zachtgeel affiche aan het prikbord. *Brocante en antiekmarkt, Limsel. 9-10 januari*. Langs de rand staat in oma-letters geschreven: *2 amuletten, smaragd.*

'Jij bent snel,' zegt Geertje. 'Alles kunnen vinden?'
'Ja prima.'
'Mooi, dan gaan we zo weg.'
'Weg? Hoezo?'
'Dat merk je wel. Heb je geen spijkerbroek bij je? En andere schoenen? Da's wel makkelijker.'
'Nee.'
'Draag je altijd van die mooie jurken?'
'Nee, niet als... of eigenlijk ja. De laatste tijd wel. Voor ik naar school ging verkleedde ik me bij Donja.'
'Waarom bij Donja?'
'Mijn ouders wisten het niet. Ze hadden al zoveel commentaar op Donja. De jurken, de make-up. Als ík zo thuis zou komen... Ik weet niet wat ze zouden doen. Ik heb het nooit gedurfd.' Nu ik het zeg, klinkt het bizar. Ik had natuurlijk ook gewoon spijkerbroeken-Pasca kunnen blijven. Dan was die shit met Ard ook nooit gebeurd.

‘Ben je daarom weggelopen?’
‘Ook.’
‘Er was meer?’
Mijn hoofd zakt naar beneden. Het lijkt al zo lang geleden dat ik de enveloppe uit papa’s zak pakte.
‘Ik heb geld gestolen. Van mijn vader. Voor een jurk en zo.’ Geertje zwijgt. ‘Ik durf ze niet meer aan te kijken.’ Net zoals ik Donja niet meer aan durf te kijken, en Dinky, want die zal wel Donja’s kant kiezen.
Geertje legt haar arm om me heen. Zachtjes dempt ze het schokken van mijn schouders.

Met negen slagen doorbreekt de klok de stilte.
‘Als jij je gezicht wat opfrist, dan gaan we. Ik zal kijken of ik schoenen voor je heb.’ Geertje loopt naar beneden en komt terug met een paar oude kistjes. ‘Die dragen jullie toch ook wel eens onder zo’n jurk? Het is maat 42. Ik pak wel een paar dikke sokken.’
Als ze me een rolletje geitenwollen sokken geeft, aarzel ik, maar eigenlijk kan het me niets meer schelen. Ik strik de schoenen zo strak mogelijk en kijk met een schuin oog naar Geertje. Maakt het haar niet uit dat ik geld heb gepikt? Ik voel me raar leeg, alsof mijn gevoel me heeft verlaten. Kaal, koud, maar ook rustig. Zoals altijd laat ik een ander voor me beslissen. Ik zie wel waar ze me mee naartoe neemt.

Om te voorkomen dat Geertje terugkomt op het gesprek van zonet, klets ik onderweg over van alles, van het apart inzamelen van plastic afval tot het risico van een aardbeving in Nederland. Zo hoef ik zelf ook niet aan gisteren te denken. In mijn zoektocht naar andere onzinnige onderwerpen, herinner ik me het prikbord dat ik

vanmorgen zag.
'Kwam mijn amulet van de markt in Limsel? Ik zag het op het affiche.'
Geertje kijkt strak voor zich uit op de weg. Als ik denk dat ze mijn vraag niet meer gaat beantwoorden, zegt ze:
'Sophie was zo trots op de amuletten, dat ze zoiets moois op de kop had getikt. Ze zijn met zoveel liefde gemaakt. Dat fijne zilverwerk. Weet je dat de steen smaragd is? Het symbool van eeuwige liefde. Twee dagen later...' De snelheid van de Kever zakt terug. 'Maanden heb ik de amuletten in haar la laten liggen, ik kon ze niet verkopen. Die ene lag net een paar dagen in de etalage en toen kwam jij. Ik vond dat ik sterk moest zijn, maar stiekem hoopte ik dat je het geld niet bij elkaar kreeg.' Geleidelijk geeft Geertje weer meer gas.
'Waarom ligt de foto van Sophie in een la?'
'Omdat, eh... Daarom.'
Kilometers lang blijft het stil. De dorpjes waar we doorheen rijden worden steeds kleiner en de weilanden uitgestrekter. De poten van de koeien verdwijnen in een wolkenbed van laaghangende mist.
'Woonde Sophie ook bij u?'
'We zijn er,' zegt Geertje, alsof die laatste vraag niet is gesteld. Ze parkeert haar beestje op het plein bij een kerkje. Het grind knarst onder de wielen. 'Mooi plekje, zo bij de kastanjes. Stap jij uit, dan kan ik er ook uit.' Een zilte lucht prikkelt in mijn neus. 'Kom, anders hebben we straks natte voeten.' Geertje loopt me met ferme stappen voorbij. Ik aarzel. Waar wil ze naartoe? Toch volg ik haar en trek mijn jurk wat omhoog om sneller te kunnen lopen. Een randje geitenwol vloekt tussen de kisten en het fluweel.

Bovenop een dijk wacht Geertje me op. Ze wijst naar een grote modderige vlakte met kronkelige stroompjes. In de verte zie ik een schip door de modder glijden. Zal wel gezichtsbedrog zijn. Meer naar links steken witte vazen met stoomwolken uit het riet omhoog. 'Koeltorens,' verklaart Geertje, 'maar die kant gaan we niet op.' Ze draait zich om en loopt over een dijk richting de vlakte.

Het pad wordt steeds modderiger. Bij iedere stap moet ik mijn voeten lostrekken uit de blubber. Het stinkt naar rotting. Geertje loopt zeker tien meter voor me uit. Even zie ik alleen haar korte grijze haar, maar dan komt ze weer uit een geul tevoorschijn.
Ik versnel mijn pas om haar bij te houden, terwijl me langzaam duidelijk wordt dat ik hier niks te zoeken heb. Dan kom ik bij de geul waar Geertje net doorheen moet zijn gegaan.
'Laat je eerst wat zakken, beneden kan je over het water springen,' moedigt ze me aan. Waarom ik niet protesteer, snap ik niet. Voorzichtig zak ik op mijn hurken en zoek steun aan het riet. Modder glibbert tussen mijn vingers door, zodat mijn handen zo zwart worden als mijn nagellak. Met een grote stap moet ik aan de overkant kunnen komen. Ik trek mijn jurk zoveel mogelijk omhoog, zet af met mijn rechter been en... Getver. Voor ik het weet sta ik tot boven mijn kistjes in het blubberwater. Gelukkig niemand die me ziet. Alleen Geertje. 'Och, meid,' roept die verschrikt. 'Snel, pak mijn hand.' Maar het is al te laat. Ik glijd verder onderuit en beland met mijn achterwerk in de stinkende slik. De zwarte blubber kruipt langs alle twee mijn handen. Ik weet niet of ik moet huilen of lachen.
'Wat doen we hier eigenlijk?' flap ik er eindelijk uit.
'Ik vertel het je zo.' Geertje laat zich een stukje naar beneden

glijden, zodat ik haar hand kan pakken. Ze hijst me overeind en helpt me het hellinkje op.
'Wat een gore derrie.' Ik schud de modder van mijn handen. Geertje pakt een zakdoek en wil een spetter uit mijn gezicht vegen, maar ik voel me als een klein kind na een fruithap en houd haar tegen. Gruwelend bekijk ik de viezigheid op mijn jurk.
'Laten we op dat heuveltje even in de zon gaan zitten. Kan de modder op je jurk drogen en vegen we het er zo af,' zegt Geertje.
'Dat lukt nooit,' maar toch loop ik naar de plek die ze aanwijst. Gelukkig is het gras hier niet nat. Ik trek mijn schoenen en die idiote sokken uit, in de hoop dat ze een beetje opdrogen. Een koude wind waait langs mijn blote huid.
Geertje komt naast me zitten.
'Onder deze modder ligt heel veel moois. Lang geleden waren hier vier dorpjes. Men moest ze onder water laten lopen. Zo zijn de dorpjes verdronken en in het slik verdwenen.'
Ik peuter de prut onder mijn nagels vandaan. Boeiend, denk ik. Het liefst zou ik direct omkeren.
'Bij storm en donder laten de kerkklokken van het verdronken land nog altijd van zich horen, wachtend tot iemand hen ooit zal opgraven, de modder er vanaf zal spoelen en al hun schoonheid weer zichtbaar wordt.'
Ik spits mijn oren, maar hoor alleen het ruisen van het gras, af en toe overstemd door de schreeuw van een zeemeeuw.
'Ik hoor niks.'
'Een paar jaar geleden heb ik het echt gehoord, samen met Sophie.'
'Waarom worden die dorpjes dan niet opgegraven?'
'Kennelijk zijn er te weinig mensen die het horen. Of niet de goede.'

'Dan moeten ze harder of vaker luiden.' Wat een onzin. Geertje tuurt over de verdronken dorpen. Ik zie alleen modder. 'Het lijkt wel of u de oude dorpen zelf op wilt graven.'
Geertje lacht, maar haar stem klinkt ernstig.
'Als ik het kon, zou ik het doen. Het is zo zonde als schoonheid verborgen blijft. Jij en ik weten alle twee dat de modderlaag alleen maar dikker wordt. Dat het steeds moeilijker wordt de schoonheid aan de wereld te tonen.'
Stilzwijgend kijken we voor ons uit. Geertjes woorden kruipen diep bij me naar binnen.

Ineens staat Geertje op.
'We moeten terug, voor het water komt. Zijn je sokken al droog?'
'Nee, maar het gaat wel.' Ik schud de modder er vanaf. Zo vochtig zijn ze lastig aan te trekken, maar met blote voeten zwem ik in die schoenen.
'Het tij is al gekeerd. Binnen een uur moeten we uit dit lage deel, anders hebben we straks natte voeten.'

Halverwege de dijk stopt Geertje. Samen kijken we terug naar de grote modderplaat waar we net gelopen hebben. Steeds meer land wordt met water overspoeld. De zon licht de waterstroompjes op. Het is net of er zilveren kettinkjes liggen. Ik bedenk me dat ik de belangrijkste vraag nog niet heb gesteld. Zou ik voorlopig bij haar mogen blijven? Ik wil het haar vragen, maar als ik mijn mond opendoe, komt er geen geluid uit. Alsof mijn stem weet dat Geertje geen oplossing is. Evenmin als Dinky, Ard, mijn luwte onder de brug, de kerk, of welke plek dan ook.

Zwijgend rijden we terug. Waar ik heen moet en wat ik moet

doen tolt door mijn hoofd als bingoballen in een bingomolen. De winnende bal rolt er niet uit. Een ding weet ik zeker: ik wil niet naar Ard. Nooit meer. Maar waarheen dan wel? Naar huis? Daar is de wereld 100% andersom. Ik weet heus wel dat die kleren niet overal handig zijn. Net zoals papa naar zijn werk geen spijkerbroek draagt, maar alleen zo'n saai grijs pak dat hij thuis meteen uitdoet. Maar misschien is die jurk al lang niet meer het moeilijkst. Wie wil er nou iemand in huis die je niet kan vertrouwen? Ik peuter aan een opgedroogde klodder modder aan mijn jurk en laat de klontjes op de grond vallen. Een grijze waas blijft op de stof achter. Als we het steegje achter de winkel inrijden, heb ik nog steeds geen idee hoe verder.

Binnen trekt de derde la van de toonbank direct mijn aandacht. 'Waarom ligt de foto van Sophie in de la? Is dat niet hetzelfde als met die dorpjes onder de modder?'
Geertje ontwijkt mijn blik.
'Ik heb in mijn kamer ook een foto van oma staan.'
'Dit is anders.'
'Hoezo? Sophie was toch veel meer dan een collega?'
'Wie heeft je dat verteld?'
'Niemand. Dat denk ik gewoon.'
Geertje staart naar de lade, terwijl ze haar hoofd zachtjes heen en weer schudt.
'Laat maar. Kom, ik ga thee zetten,' onderbreekt ze haar gepeins.
'Maar wat is er dan met die foto?'
'Dat snap je toch niet.'
'Ik doe de havo hoor. Zo dom ben ik niet.'
'Ach lieverd, het gaat niet om dom.' Geertje zucht. 'Ik kan het

gewoon niet uitleggen.'
Ik denk terug aan ons gesprek bij de slikken.
'U wilde het verborgen houden en Sophie niet?'
Geertje zwijgt, maar haar gezicht verraadt de pijn. Een koude stilte vult de winkel, tot het water in de waterkoker begint te bruisen. Vlak daarna slaat het apparaat af. Geertje schenkt het dampende water in de theepot en laat het thee-ei dansen.
'De laatste keer dat ik met Sophie bij het verdronken land was, hadden we er nog woorden over. Ze voelde zich net als de kerkklokken. Zij wilde dat we ervoor uitkwamen.'
'Maar u vond dat niemand het mocht weten?'
'Voor de meesten waren we gewoon vriendinnen, die samen een winkel en een huis hadden. Verder niks.'
'Waarom dan?'
'Eén keer heb ik het een vriendin verteld. Dat was de laatste keer dat ik het durfde. Ik zie haar afkeur nog voor me. Het was alsof al het bloed uit haar gezicht was weggetrokken. Haar mond bleef open staan, tot ze stamelde: *Jij houdt van vrouwen?* Ze stond op, trok haar jas aan, zei: *Dat kan ik niet accepteren*, en vertrok. Nooit heeft ze nog een woord tegen me gezegd.'
'Belachelijk. Dat mens was gek. En door zo'n idiote reactie heeft u het nooit meer iemand verteld?'
'Ik voelde me zo vernederd. Dat wilde ik nooit meer meemaken.'
'Maar je bepaalt toch zelf hoe je wilt leven!' Ik schrik van mijn eigen woorden. Alsof ik daar zo goed in ben. 'Het lijkt me verschrikkelijk, als je van elkaar houdt en niemand mag het weten.'
'Dat is het ook. Sophie was verstandiger dan ik, vrees ik.'
'... en nu kan het niet meer,' vul ik aan.

Geertje zet twee koppen thee op de toonbank en schuift de la open. Ze pakt de foto van Sophie, bewasemt het glas met haar adem en poetst het schoon met een punt van haar vest.
'Lieve Sophie,' fluistert ze, 'had ik dit maar eerder gekund.' Ze klapt de standaard van het lijstje uit en zet de foto op de toonbank. Vol liefde kijkt ze naar Sophie. Ik krijg het warm en koud tegelijk. Dat het zo lang heeft geduurd voor ze dit durfde. Zoiets belangrijks je hele leven verborgen houden. En bijna doe ik hetzelfde met dingen die misschien wel veel simpeler zijn.

Het is alsof de tijd stilstaat, tot ze nog iets uit de la pakt. 'Hier, deze is voor jou. Mag ik?'
Ik knik.
'Beloof me dat je je altijd laat leiden door wat jij wilt en wat jij belangrijk vindt.'
Ik voel aan de kleine amulet om mijn hals, zoals ik eerder voelde aan de grote. De amulet waarvoor ik geld van papa stal en waarvoor ik geld bij Ard wilde verdienen. De amulet waarvoor ik bijna uit de kleren ging. De amulet, die me 100% gothic maakte. Maar niet gelukkig. Ik geef Geertje een kus en voel de tranen op haar wang. 'Dank u voor alles. Ik ga nu. Ik geloof dat ik het weet.'

18

Het riet langs het kanaal buigt door de zachte wind, alsof het me de goede kant op wijst. Alles lijkt veranderd, maar de scheepsmotoren dreunen net zo over het kanaal als de laatste keer, en de eenden doen nog niets anders dan kwaken. Onder de brug stop ik. Ik klap de standaard van mijn fiets uit, loop het talud op en ga in het gras zitten. Deze plek voelt nog steeds als een warme deken. Hier moet ik de goede woorden kunnen vinden.

Een spinnetje zakt langs een ragfijne draad naar beneden. Hypnotiserend zwaait hij heen en weer. Ze accepteren het wel, ze accepteren het niet. Wel, niet, wel... Hoe leg ik het ze uit? Tientallen zinnen spannen zich als draden door mijn hoofd, maar geen een is krachtig genoeg. Ieder woord, iedere zin voelt te slap om pap en mam te overtuigen.

Zal ik gaan zonder woorden? Gewoon in mijn jurk en maar zien wat ze doen?

Ik geloof dat ik het weet, had ik dapper tegen Geertje gezegd. Maar wat nu?

Stel dat ze... Nee, woorden zullen nooit genoeg zijn. Ik moet laten zien wie ik werkelijk ben. Ik ga rechtop zitten en sla mijn armen om mijn knieën. Minutenlang tuur ik over het water.

Zal Donja een idee hebben? Een steek in mijn buik straft me voor deze gedachte. Ik heb het vast voor altijd verpest. Oneindig vaak fietsten we hier, op weg naar huis, naar school of naar een van onze favoriete shops. Ik wil haar niet kwijt. Ik heb haar nooit kwijt gewild. Ik doe mijn mobiele netwerk aan en weer piept hij een hele stroom gemiste oproepen en whatsapps. Sinds eergister geen berichten meer van Donja. Ik ben aan zet.

Srry 4 alles
Srry 4 :(
Srry 4 :'-(
Wil :)
You 2?
Weer abvva?
Xxx Pasca

Aller Beste Vriendinnen Voor Altijd? Stel je voor als ze… Misschien is het onmogelijk, maar als ik het niet vraag... Verzenden naar Übergoth. Nee wacht, eerst bewerken. Wissen, naam invoeren, D O N J A, bevestigen. Zo, nu verzenden naar Donja. Mijn duim lijkt te blokkeren. Bijna doe ik het weer op dezelfde laffe manier als die keer bij Dinky.

Ik druk het bericht weg, kies Donja's nummer en bel haar zonder te bedenken wat ik ga zeggen. Tijd voor een aarzeling krijg ik niet. Na één keer overgaan, neemt ze op met een kleine:

'Ja.'

'Met mij,' antwoord ik. Ik probeer me voor te stellen hoe ze kijkt. Het blijft stil. Bijna voel ik haar adem door mijn mobiel. 'Het spijt me. Ik had niet zo tegen je moeten doen. Je had gelijk. Ard…' Ik krijg het niet over mijn lippen en duw de herinnering aan hem weg. Op de achtergrond klinkt een gitaar.

'Donja, alsjeblieft. Waarom zeg je niets?'
'Je overvalt me,' antwoordt ze na een tijdje.
'Sorry. Ik wilde je niet nog een keer appen met zoiets.' Om de stilte te smoren ratel ik: 'Ik ben op weg naar huis. Ik wil dat alles weer gewoon wordt. Of nou ja, niet zoals vroeger. Nieuw gewoon. Anders. Daar hoor jij ook bij.'
Donja zucht.
'Nu wel?'
Dit keer valt de stilte aan mijn kant.
'Het wordt toch nooit meer zoals het was,' zegt ze.
Weer vullen belseconden zich met leegte.
'Misschien wordt het wel beter,' probeer ik, zonder helemaal overtuigd te zijn.
'Beter?' Donja's stem klinkt cynisch.
Een waterhoentje springt tussen het riet vandaan uit het water. Het komt krijsend en met koddige stappen op me af. Ik zie het, maar het raakt me niet. Ik voel alleen heimwee naar onze vriendschap.
'Ik ben veranderd. Ik wil een nieuwe start maken.'
Haar zwijgen doet pijn aan mijn oren.
'Wacht even,' zegt ze. Ik hoor wat gerommel aan haar telefoon en gedempte stemmen, die ik niet kan verstaan. Gespannen wacht ik af. 'Kan je hierheen komen? Ik ben bij Dinky.'
'Nu?'
'Dinky zegt dat ik ons een kans moet geven. Kom, voor ik ga twijfelen.'
Ik voel mijn spieren ontspannen en weer aanspannen. Is dit goed of niet?
'Over tien minuten ben ik er.'

Direct pak ik mijn fiets en draai hem om. Dit kan ik niet laten glippen, maar hoe dichter ik bij de fabriek kom, hoe verder ik van huis ben. Een gevoel van lafheid knaagt aan mijn geluk dat ik naar Donja ga. Heb ik echt niet het lef om naar huis te gaan? Toch fiets ik verder, terwijl mijn gedachten heen en weer schieten tussen lef en laf. Ik had het lef. Nu ben ik laf. Nee, dat is niet waar. Ook Donja is belangrijk. En ook Donja vraagt lef. Daarna ga ik naar huis.

In het rek staan de fietsen van Dinky en Donja als broer en zus naast elkaar. Zou ik zonder Dinky deze kans ook hebben gehad?
'Maakt niet uit,' spreek ik mezelf toe. Donja zei het en als ze het niet wilde, had ze het ook niet gezegd. Ik zet mijn fiets naast die van Donja en Dinky, alsof daarmee een volgend obstakel is genomen. Met haastige stappen steek ik het lege terrein over.

De derde verdieping is gevuld met gitaar- en pianomuziek. De verdieping die een paar dagen geleden even mijn huis was. Zo stil mogelijk loop ik de gang in, om te horen welke muziek Dinky op heeft staan. Tot ik Donja's altstem hoor en besef dat het Donja en Dinky zelf zijn. De haartjes op mijn armen trillen van de emotie in Donja's stem. Haar zang en Dinky's gitaar zwepen elkaar op. Bijna zet ik in met de tweede stem, maar ik bedenk me. Wat als ik deze kans verpruts?

Met ingehouden adem loop ik verder naar Dinky's kamer. In de deuropening blijf ik staan luisteren. Nooit eerder heeft muziek me zo geraakt. Dit mag eindeloos duren, maar het abrupte einde bewijst dat ik het moment niet uit kan stellen. Donja's zwart omrande ogen staren me aan. De stilte tussen ons is stiller dan de nacht, tot ik het niet meer houd.

'Had ik al gezegd dat het me spijt?'
Donja knikt. Toch zeg ik het nog een keer.
'Sorry. Ik had bij Geertje niet zo bitchy moeten doen. Ik dacht dat hij... En dat jij...' Tranen stromen langs mijn gezicht.
Donja kijkt me afwachtend aan.
'Ik meen het,' stamel ik.
'Wat?'
'Ik wil weer je vriendin zijn.'
Maar Donja reageert niet, tot Dinky haar toeknikt.
'Ik was zo bang dat er iets met je gebeurd was. En echt, ik wist niet wat ik moest zeggen toen je ouders hier waren. Ik wilde je niet verlinken, maar ze waren zo kapot.' Donja neemt een grote hap lucht. 'Ik heb je niet verraden. Of in ieder geval was dat niet mijn bedoeling. Weet je wel hoeveel ze van je houden? Weet je hoe bang ze waren je kwijt te zijn? Als je ze zo had gezien...'
Haar woorden bezorgen me een brok in mijn keel, waardoor ik niets meer kan zeggen. Ik sta nog steeds in de deuropening en het is alsof mijn voeten aan de drempel zijn vastgespijkerd. De ene helft van mijn hart wil naar huis, de andere naar Donja. Als Donja opstaat en naar me toeloopt, weet ik niet of ze me eruit gaat zetten, of juist niet.

Ze slaat haar arm om me heen, en ik voel dat het goed is. Ze neemt me mee de kamer in. Samen ploffen we op Dinky's bank en omhelzen elkaar.
'Wat ben ik blij dat je me belde en bent gekomen,' zegt Donja na een tijdje.
Dinky zet twee glazen water voor ons neer.
'Hè, hè, eindelijk zie ik dat jullie vriendinnen zijn.' Hij geeft me

een knipoog. Dankbaar drink ik het glas leeg. Slok voor slok spoel ik de brok uit mijn keel weg.

'Ben je al thuis geweest? Zoiets zei je toch?' vraagt Donja.

Ik schud mijn hoofd.

'Ik was op weg, maar eerst belde ik jou. Hierna ga ik naar huis.' Ik haal diep adem, alsof ik moed uit de lucht kan halen. 'Ik moet pap, mam en Luc laten zien wie ik ben en sorry zeggen. Dit ben ik, en er is niets mis met mij. Goth of niet.'

'Pasca, dat is super.'

'Ja, super,' echo ik, 'maar ik weet niet hoe.'

'Je kunt toch gewoon naar ze toegaan?'

'Ja, maar... Ik ben zo bang dat ik dan weer ga doen als de oude Pasca en meteen op Luc moet passen of een klusje in huis te doen krijg. Nee, ik moet ze in één keer de nieuwe Pasca laten zien. Ik wil hen kippenvel bezorgen, zoals jullie muziek net bij mij deed, en dat ze trots op me zijn zoals ik ben. Niet omdat ik mooie cijfers haal en een superhulpje ben.' Ineens weet ik het. 'Ik wil voor ze zingen, een gothic ballad of zo. Daarna leg ik ze alles uit.'

Donja veert overeind.

'Dan speel ik keyboard en Dinky basgitaar. We lokken ze wel hierheen.'

'Kan je niet beter eerst naar huis gaan en het ze gewoon vertellen?' stelt Dinky voor. 'Ieder uur kost je ouders jaren van hun leven.'

'Een paar uur maakt toch niet uit. Volgens mij is het een superplan van Pasca. Dan zien ze het en hoeft ze niets meer uit te leggen.'

Even laten Dinky's woorden me twijfelen, maar Donja's enthousiasme is overtuigender.

'Wanneer wil je het dan doen?' zucht Dinky.

'Vanavond?' Langer wil ik ze niet laten wachten.
'Doen we,' zegt Donja. 'Aan de slag.'
'Oké dan,' reageert Dinky nadenkend. 'Misschien kan ik wel een betere plek regelen dan hier.' Zijn ogen twinkelen veelbelovend.

19

De ruimte is nog groter dan in mijn herinnering. Vanaf de balustrade waar ik Ard ontmoette, kijk ik in het zwarte gat. Vorige keer stond hier een dansende menigte. Nu staat Donja beneden in een hoek van de dansvloer. Alleen haar keyboard is verlicht. Naast haar staat Dinky met zijn gitaar en een mengtafel voor het geluid en de verlichting. Mijn hart klopt in mijn keel. Ik leg mijn hand op mijn buik om mijn ademhaling te laten zakken, zoals Dinky me tijdens het oefenen liet voelen door datzelfde te doen. *Dan klinkt je stem veel krachtiger*, zei hij en ik voelde me verder groeien.

Voor vanavond heb ik mijn zwarte jurk met spinnenwebkant en rijglaarsjes aangetrokken. En de amulet. De kleine. Zo wil ik dat ze me zien: in mijn mooiste jurk, sterk, gelukkig en mooi. Daaronder dit keer een gewone slip. Leidt dat ding tussen mijn billen me ook niet af. Ik concentreer me op een lange uitademing. Langzaam word ik rustiger, maar helemaal ontspannen is onmogelijk.

Het idee dat ze ook weg kunnen blijven, geef ik geen ruimte. Waarom zouden ze niet komen? Dik een half uur geleden appte ik

> Kom om 21.30
> naar masjien
> tien.
> Alsjeblieft.
> Xxx Pasca

Als jij ervan overtuigd bent dat het zo goed is, dan is het goed, had Dinky gezegd. Maar hoe later het wordt, hoe meer mijn overtuiging wiebelt.

Het is al vijf over half tien. Wat als ze niet komen? Ik weet zeker dat ze *Masjien Tien* kennen. En dat ze het niks vinden. Was dit toch geen goed idee? Had ik vanmiddag als Pasca naar huis moeten gaan, zoals Dinky zei? Of als Pascalle. Nee! Dat natuurlijk niet. Dan begin ik al fout. Maar stel dat ze me nooit meer willen zien…

Tien over half tien. Ik krijg het koud. Beneden kijkt Donja iedere minuut op haar horloge. Ik bijna iedere seconde. Eindelijk valt een streep licht door een spleet van de deur naar binnen. Ik verstijf van de spanning. De smalle streep verbreedt zich. Vier mensen komen binnen. Ik herken direct de silhouetten van pap en mam, maar die andere twee? Ze hebben een pet op en lopen met kordate passen voor mijn ouders uit.

'Vier, drie, twee,' telt Dinky af, maar voor hij bij één is, knipt iemand een grote schijnwerper aan. De felle straal doorsnijdt het donker.

'Blijf op je plaatsen,' commandeert een vrouw.

Mijn adem blijft onderin mijn buik steken. Politie? Waarom? Dinky had toch geregeld dat we in *Masjien Tien* mochten? Of is het voor mij, vanwege papa's geld?

Plots word ik verblind door het licht van de zaklamp. Als ik wegkijk zie ik grote vlekken voor mijn ogen.

'Is zij uw dochter?' vraagt een agente.

'Pascalle!' roept mama. Ze wil op me afrennen, maar de agente houdt haar tegen. Haar collega loopt richting Donja en Dinky. Zelf stormt de agente de trap op en komt naar mij toe.

'Niet bang zijn. We zijn hier voor jou. Je bent veilig,' zegt ze hijgend. 'Ben je hier vrijwillig?'
'Vrijwillig?' Ik hap naar lucht. Waarom zijn ze hier?
'Is er iemand die je hiertoe dwingt?'
Ik snap niets van haar vragen.
'Hè, nee, hoezo?'
'Wie zijn zij?' De agente wijst met haar zaklamp naar Dinky en Donja. In de lichtstraal zie ik hoe Dinky zijn arm om Donja slaat. Achter hen staat de andere agent.
'Wacht!' Pap loopt naar voren. 'Ik geloof niet dat dit nodig is.'
De agente kijkt me vragend aan.
'Dat zijn vrienden van me. Dinky heeft toestemming gevraagd bij de eigenaar van dit hier. Die kent hij goed. Hij heeft vast zijn mobiele nummer, zodat u...' stamel ik.
'Je ouders hebben ons gebeld vanwege je berichtje,' onderbreekt de agente me.
'Maar... Ik wilde voor ze zingen, zodat...' Ik loop de agente voorbij en klim half struikelend over mijn jurk de steile trap af. Mam rent op me af en omhelst me. Pap volgt haar met grote, snelle stappen en slaat zijn armen om ons heen.
'Niets zeggen,' fluistert mam, 'niets zeggen.' Ze drukt ons drieën stevig tegen elkaar aan. Haar wangen zijn nat. Paps wangen prikken, zoals altijd. Na een tijdje laat pap ons los.
'Sorry,' zegt hij tegen de agenten en Donja en Dinky, die op een afstandje staan. 'We waren bang dat... Nou ja, laat maar.' Hij loopt op hen af en geeft ze alle vier een hand.
'Maar waarom moesten we hierheen komen?' vraagt mam.
'Het was mijn idee,' zeg ik direct. 'Donja en Dinky hebben alleen

maar geholpen. Please, blijf. Dan laat ik zien waarvoor jullie gekomen zijn. Ik wil jullie voorstellen aan de nieuwe Pasca.'
Pap en mam kijken elkaar aan.
'Daarna ga ik mee naar huis.' Even ben ik bang dat ze nee zullen zeggen.
'Wat ga je dan nu doen?' wil papa weten.
'Voor jullie zingen. En voor u,' zeg ik tegen de agenten.
Ik klim de trap weer op, Dinky pakt zijn basgitaar en Donja kruipt achter haar keyboard. Ik haal diep adem en voel de lucht tot in mijn buik zakken. Donja's keyboard zet de eerste tonen in. Dinky schuift de spot, die op me gericht staat, open. Het licht verblindt me, zoals de politielamp van net ook deed, maar het maakt me niet uit. Ik weet dat pap en mam er zijn. Ik weet dat ze luisteren. Een gevoel van trots stroomt door me heen. Hier sta ik als Pasca en als goth. Mooi en sterk, zoals ik altijd wil zijn.

De muziek zwelt aan. Na het intro val ik in, met de herschreven tekst van het nummer dat Ard voor me draaide. Vanuit mijn tenen zing ik:
'No, you are not dreaming, this is who I am, my real life, no, you are not dreaming.' De hoge noten en de ad libs lukken nog beter dan vanmiddag. Nog nooit heb ik zoveel van mezelf in een songtekst gelegd. Deze gaat over mij! Tranen in mijn ogen breken het licht van de spot in ontelbaar veel sterretjes.

Bij Dinky's gitaarsolo kan ik niet langer boven blijven. Ik loop naar beneden en val weer in een omhelzing met pap en mam. Ik hoor hoe Donja het tweede stuk tekst van me overneemt.
'Het spijt me,' fluister ik als de laatste klanken van het keyboard zijn weggedreven. 'Laten we naar huis gaan.'

‘Da’s goed,’ zegt pap. Even loopt hij naar de agenten en schudt ze nog een keer de hand.
Ik roep snel:
‘Bedankt,’ naar Donja en Dinky. ‘Kom morgen wel even langs.’
‘Het is oké,’ zeggen ze in koor, terwijl ze zachtjes een nieuw nummer inzetten.
Mama kruipt bij me op de achterbank, en pakt mijn hand vast. Nog altijd zeggen we niets, alsof we hebben afgesproken pas thuis te praten.

‘Het spijt me,’ zeg ik nog een keer, als pap een kop thee voor mam en mij op de keukentafel zet. Ik heb geen idee of ze kwaad gaan worden, me straf zullen geven, of wat dan ook. De zekerheid die ik in *Masjien Tien* voelde, kan ik nergens meer vinden. ‘Misschien had ik het op een andere manier moeten doen, maar ik kon het niet.’
‘Had jij dat geld uit papa’s jas gepakt?’ wil mam meteen weten.
‘Wacht nou,’ sist pap, ‘dat komt later wel.’
‘Nee, dat hoeft niet te wachten.’ Mijn hart bonkt in mijn keel. Nu komt het. Ik probeer mijn onzekerheid weg te slikken. ‘Ja, ik heb het geld uit de enveloppe gepikt. Ik voelde me zo fout en kon niets anders verzinnen dan dat ik weg moest. Vanmiddag vertelde Donja, hoe het voor jullie was.’ Ik tuur naar mijn kop thee, zodat ik pap en mam niet hoef aan te kijken. Mijn wangen gloeien. Ze zijn vast knalrood. ‘Sorry, ik dacht… Misschien waren jullie wel blij dat ik weg was. Wie wil er nou een dief in huis? En geen foute vriendinnen meer op bezoek. Ik wist het gewoon niet meer,’ zeg ik met een fijngeknepen stem.
‘Maar toen je belde, ik was zo opgelucht. Waar was je?’ vraagt mama.

'Bij Geertje. Een oude vrouw, met een winkeltje in de stad. Ik kende haar ook niet, maar het liep allemaal zo raar. Gisternacht kon ik gelukkig bij haar blijven slapen, anders had ik echt niet geweten waar ik heen moest. O, ja, dat moet ik ook nog vertellen. Ik heb per ongeluk een vaas bij haar gebroken. Daar moet nog iets met de verzekering of zo.'
'Hè, wat? Ik kan je even niet volgen.' Papa's espresso is klaar en hij komt bij ons aan tafel zitten. 'Wat voor vaas? En wie is die Geertje?'
Ik vertel hen alles over Geertjes winkel, over de amulet en over hoe ze me heeft geholpen.
'Het was een beetje alsof ik bij oma was.'
Opnieuw zie ik tranen in mama's ogen springen.
'Fijn dat ze je heeft geholpen,' stamelt ze.
'Nou, dan moeten we morgen maar bij die dame langsgaan om haar te bedanken en iets te regelen voor die vaas,' zegt papa. 'Nu eerst naar bed en een nachtje slapen over alles wat er is gebeurd, want eerlijk gezegd weet ik niet hoe ik me voel. Ik ben zo blij dat je nu hier bent, maar ook ontzettend boos over hoe je ons hebt laten zitten. Ik kan me niet herinneren ooit zo kwaad te zijn geweest. En ongerust. Maar nu ben ik vooral opgelucht dat je niets is overkomen. We hebben aan het ergste gedacht. Maar gelukkig, je bent er weer, en het is al veel later dan bedtijd. Laten we morgen verder praten.'

20

Na een nacht waarin mijn eigen bed nog vreemd voelt en ik nauwelijks heb geslapen, stormt Luc mijn kamer in.
'Je bent er weer! Waar was je nou?'
'Even weg.' Ik trek het dekbed over mijn hoofd. Kan hem onmogelijk uitleggen waar ik allemaal ben geweest en wat er is gebeurd.
'Wil je met mij ontbijten voor ik naar school ga?'
'Moet dat?'
'Please, ik heb je zo gemist.'
Als vanzelf vormt zich een glimlach op mijn gezicht.
'Ik kom zo.'

Bij het ontbijt komt papa uit zijn kantoortje.
'Je moeder en ik hebben vrij genomen vandaag. Ik stel voor dat we zo eerst naar die Geertje gaan. Dan is dat maar geregeld. Daarna zien we wel. Ga jij je aankleden, dan kunnen we zo weg.'
'Oké,' zeg ik met een hap beschuit in mijn mond. Ondertussen bedenk ik wat ik zal aantrekken. Ik betrap me er op dat ik het lef nog niet heb om een jurk aan te doen. Bijna word ik boos op mezelf. Maar nee, het hoeft niet altijd. Soms een spijkerbroek, soms een jurk is toch ook goed? Na alles van gister nu even rustig. Gewoon een spijkerbroek. Eerst vandaag die gesprekken en zo.

Kijkt mama nou zo opgelucht omdat ik er zo gewoon uitzie, vraag ik me af als ik de trap afkom. Toch ga ik er echt niet altijd zo bijlopen. Als ze dat maar weet. En straks zal ik haar dat zeggen ook, prent ik mezelf in.

'Klaar?' vraagt papa. 'Jij weet de weg, neem ik aan.'

Onderweg blijft het net zo stil als gisteravond. Het is alsof onze gesprekken te groot zijn voor de kleine ruimte van de auto.

'O, het is hier,' zegt mama. 'Dit is zo'n leuke straat, met zulke mooie winkels.'

'Daar komen we nu niet voor.' Papa klinkt kortaf.

'Dat is Geertjes winkel,' wijs ik.

Pap en mam kijken elkaar aan. Mama probeert haar gezicht in de plooi te houden, maar haar blik verraadt dat ze het niks vindt.

In de winkel komt Geertje op ons aflopen.

'Goedemorgen, wat kan ik voor u doen? Of... o, verhip, Pasca jij bent het. Ik herken je zo niet. Waar is je mooie jurk?'

'Ik wil mijn ouders aan u voorstellen en iets regelen voor de vaas die ik brak.'

'Och meid, gelukkig, je bent dus weer thuis.' Ze steekt haar hand uit naar papa en mama. 'Ik ben Geertje. Ik weet niet wat uw dochter u al heeft verteld, maar we hebben in die korte tijd veel met elkaar meegemaakt. U heeft een mooie en verstandige dochter. Fijn om u te ontmoeten. En geweldig natuurlijk dat Pasca weer thuis is. Komt u verder. Ik sluit de winkel even en mag ik u dan uitnodigen om boven een kopje koffie te komen drinken?'

Papa en mama knikken gedwee, alsof de woordenstroom van Geertje hen heeft overvallen. Aarzelend lopen ze achter haar aan.

'Waar we eigenlijk voor kwamen was die vaas,' begint papa, als

we aan Geertjes eettafel zitten. 'Ik begreep dat Pascalle een vaas heeft gebroken.'
'Och,' zegt Geertje. 'Dat ben ik al vergeten. Ik beschouw het als ondernemersrisico.'
'Maar ik wil hem graag vergoeden. Ze is u al veel te veel tot last geweest.'
'Tot last?' Geertje lacht, alsof papa's opmerking een grap was.
'Ze heeft me juist enorm geholpen. En niet alleen met poetsen. Ze heeft me tot een heel waardevol inzicht gebracht. Nee, die vaas is ruimschoots vergoed,' knipoogt ze naar me.
Zonder in te gaan op Geertjes reactie, zegt mama:
'We zijn erg blij dat u haar naar huis heeft laten bellen. Toen wisten we tenminste dat haar niets was gebeurd.'
'Graag gedaan,' antwoordt Geertje. 'Ik kan me uw ongerustheid voorstellen.'
'Heeft u ook kinderen?' vraagt mama.
'Nee. Daar is het nooit van gekomen. Maar ik had graag een dochter als Pasca gehad. Ik vind het zo mooi om te zien hoe kinderen zich ontwikkelen en hun eigen stijl kiezen. Ik wou dat ik vroeger die kans had gehad. Ik moest net twee keer kijken voor ik haar herkende, zo gewoon in spijkerbroek.'
Mama lacht een kleine, gemaakte lach.
'Ik moet nog wel wennen hoor, aan dat soort kleding. Ik weet ook niet of… Nou ja, daar komen we wel uit met Pascalle.'
'Maar nu u hier toch bent. En jij ook Pasca. Ik had zo gedacht: vind je het leuk om mij zaterdags te komen helpen in de winkel? Als je ouders het goed vinden natuurlijk. Ik moet nog even kijken wat ik je kan betalen, maar mij lijkt het wel wat.'

‘Echt?’ Ik veer op van mijn stoel. ‘Mag het pap, mam? Het lijkt me super cool.’
‘Oef,’ steunt papa. ‘Eigenlijk hebben we nog heel veel met Pasca te bespreken. Ik denk dat we het hier ook maar met z’n drietjes over moeten hebben. Pasca laat u daarna wel weten waar we op uit zijn gekomen.’
‘Prima.’ Geertje knikt naar papa en draait haar hoofd naar mij. ‘Je komt maar langs als je het weet.’
‘Zal ik jullie nog laten zien waar ik heb geslapen, en wat ik allemaal heb gepoetst?’
‘Snel dan, want daarna wil ik naar huis, voordat Luc thuiskomt.’
Ik show hen Sophie’s kamer en de oude meubels beneden. Mama loopt tussen de tafels door en blijft staan bij oma’s koektrommel. Ze pakt hem op, glijdt met haar hand over het deksel met blauwgrijze en roze bloemen en zet hem voorzichtig terug.
‘Grappig,’ zegt mama. ‘Zo heb ik bij jouw oma ook heel wat poetswerk gedaan.’
‘Dan heeft Pasca vast die poetskunst goed afgekeken.’ Geertje draait de winkeldeur weer van het slot en loopt naar de toonbank. ‘Kijk, dit is Sophie.’ Ze wijst naar haar foto. ‘Mijn vriendin. We woonden hier samen en runden de winkel. Ze verongelukte in januari. Ik begreep dat uw moeder in dezelfde maand overleed. Wat een gemis zal dat zijn.’
Mama’s trieste ogen beantwoordden Geertjes woorden. Naast mama staat een trotse Geertje. Zoals zij het nu kan laten zien, wil ik ook het mijne laten zien, besluit ik opnieuw.
‘Kunnen we niet nu al iets afspreken over het werken bij Geertje? Het is toch alleen maar goed als ik een stukje van mijn zakgeld zelf

verdien? En dan kan ik jullie ook terugbetalen. Ik wil het echt heel graag. En dit is mega veel leuker dan vakkenvullen.'
Met een waterige blik kijkt mama naar papa. Ze sluit haar ogen even en knikt naar hem. Hoopvol kijk ik naar papa. *Please, zeg ja.*
Paps vingers glijden langs zijn kin.
'Nou, vooruit dan. Hoeven we daar niet meer over te praten.'
'Yes!' ik vlieg pap in zijn armen, geef hem een knuffel en vlieg door naar mama. 'Dank jullie wel.'

'Ik wil ook meepraten,' zegt Luc na zijn laatste slok melk.
'Niks daarvan,' reageert mama. 'Jij gaat zo gewoon naar school.'
'Maar ik wil dat Pasca niet meer weggaat. Ze moet gewoon hier blijven wonen.'
Papa grinnikt.
'Dat ben ik helemaal met je eens. En ik ga er vanuit dat het allemaal weer goed komt.' Hij knipoogt naar me. Meteen moet ik denken aan de knipogen die ik de afgelopen dagen kreeg. Van Ard en van Dinky. Die van Ard wil ik zo snel mogelijk vergeten. Die van Dinky maken me nieuwsgierig. Volgens mij is hij best aardig.
Luc staat op van tafel en loopt naar me toe.
'Denk jij ook dat het goedkomt?'
'Ik denk het wel.' Ik hoop dat mijn antwoord waarheid wordt.
'En anders moet je wachten met weglopen en het me eerst vertellen als ik weer thuis ben uit school.'
'Kom Luc, praat niet zo gek.' Mama geeft hem zijn jas. 'Hup, naar school, Pasca loopt heus niet nog een keer weg.'
Luc kijkt me onderzoekend aan, alsof hij probeert in te schatten of mama gelijk heeft.

'Tot vanmiddag Lucky.' Het is lang geleden dat ik hem zo noemde.

'Ze leek me wel een aardige vrouw, die Geertje,' begint mama als we weer om de tafel zitten. 'Wel een aparte, maar ook aardig.'

Ik knik en verzamel al mijn moed, vanuit mijn tenen tot in mijn kruin. Ik moet net zo dapper zijn als Geertje.

'Wat hebben jullie eigenlijk tegen goths?'

Mama verslikt zich in haar thee.

'Hoe bedoel je?' vraagt papa.

'Nou, zoals jullie het altijd over Donja hadden. En haar jurken.'

'Och, Donja. De schat,' glimlacht mama. Als mijn oren konden klapperen, zouden ze het nu doen. Mam noemt Donja een *schat*? Wat is er gebeurd in die paar dagen? 'Ze heeft zo met ons meegeleefd.'

Ik negeer mama's opmerking en ga door met wat ik bedoelde. 'Jullie veroordeelden haar kleding altijd zo, dat ik er niet mee durfde thuis te komen. Al weken verkleedde ik me bij Donja en ging in een van haar jurken naar school. Ik voelde me er zoveel sterker in.'

'Maar lieverd...' wil mama me onderbreken.

'Nee, wacht. Gister zagen jullie me zoals ik vaker wil zijn. En eigenlijk is dat maar een stukje. Ik wil gewoon mijn eigen dingen kunnen doen. Met vrienden en vriendinnen die ik uitkies, en zonder steeds jullie hulpje en oppas te hoeven zijn.'

Een tijdje blijft het stil, tot papa vraagt:

'Was dat dan een probleem?'

'Donja was niet goed. Haar jurken niet, make-up niet. Ik mocht nooit wat en altijd kon ik klusjes doen: oppassen, ramen lappen, helpen koken, weer oppassen. Het enige moment dat ik niets hoefde

te doen, was als ik veel huiswerk had. Andere excuses waren nooit goed genoeg. Nooit, nooit! Altijd eerst een klus. Of gezeur.'
Pap en mam kijken verbaasd.
'Dus je bent niet alleen voor dat geld weggelopen? Waarom heb je ons dan nooit gezegd dat je niet gelukkig was?' vraagt papa.
Ik haal mijn schouders op.
'Dat was toch wel duidelijk?'
Pap en mam schudden hun hoofd.
'We dachten...,' begint mam. 'Nou ja, ik heb nooit gemerkt dat je het zo verschrikkelijk vond. En eerlijk gezegd had ik het wel zo fair gevonden als je het gewoon met ons had besproken. Met dat weglopen heb je ons wel enorm voor het blok gezet.' Ze gaat steeds harder praten.
Roder kan mijn hoofd niet worden. Diep vanbinnen weet ik dat ik mezelf het liefst verstopte als ik boos was.
'Sorry. Het spijt me, ik was altijd bang dat jullie kwaad zouden worden.'
Papa lacht. Zijn lach klinkt raar op dit moment.
'En je was niet bang om weg te lopen? Bijzonder.'
'Jawel, eerst wel. Maar toen gebeurde dat met dat geld en kon ik niks anders meer bedenken.
'We hebben nog heel wat te leren met elkaar,' concludeert pap. 'Maarre, wat die jurken betreft...'
'Jullie hebben toch kunnen zien wat zo'n jurk met me doet. Hoe mooi en krachtig ik me ermee voel. Het maakt dat ik met zoveel passie en emotie kan zingen, zoals jullie hebben gezien en gehoord.'
'Ik weet het niet,' zegt pap, 'maar...'
'Wacht, ik snap ook wel dat zo'n jurk niet altijd handig is. Ik hoef

hem ook niet altijd aan, maar wel als ik het wil.'
'Hoe vaak is dat dan?'
'En wanneer?' vult mama aan. 'Het staat je prachtig hoor, maar...'
Ik twijfel, of ik mama's compliment kan geloven.
'Dat weet ik nog niet,' zeg ik. 'Laat me daarmee nou gewoon mijn gang maar gaan.'
Pap legt zijn hand op mijn schouder en kijkt me streng aan.
'Maar ik ga het je wel zeggen als ik het te vaak vind. En wat ik eigenlijk nog veel belangrijker vind: laat ons alsjeblieft nooit meer zo in angst achter. Zeg het alsjeblieft als er iets is. Ook al hebben we dan woorden, we komen er heus wel uit. Je hebt geen benul hoe ongerust we zijn geweest. En boos, omdat je ons zo in de steek liet. Je wilt niet weten wat voor straffen ik allemaal heb bedacht.'
'Sorry,' mompel ik. 'Ik wist echt niet wat ik anders moest doen.'
'Waar heb je eigenlijk geslapen voordat je bij die Geertje was?' vraagt mama.
Ik schenk mezelf een cola in en begin te vertellen, van papa's geld tot mijn optreden in *Masjien Tien*. Maar één deel sla ik over: Ard. Het enige wat ik met hem moet doen, is zo snel mogelijk vergeten.

21

Al een hele week kan ik over niets anders praten. Mama wordt gek van me, zegt ze, maar zolang ze erbij lacht, ga ik door. Na vanavond zal het alleen maar erger worden.

Donja ritst het strakke lijfje van mijn jurk dicht.

'Ik wou dat ik zo dun was.'

'En ik dat ik jouw cupmaat had.'

'Zakdoekje dan?' Ze gooit een pakje naar me toe.

'En dan vis jij het er zeker uit als we straks op de vloer staan.'

'Oh, wat een slecht plan. Alsof ik zo ben.'

Ik gooi het pakje naar haar terug.

'Nee, da's waar, zo ben jij niet.' Ik draai rondjes voor de spiegel en zwaai mijn zwarte haar over mijn schouders. Yes! Today this is me!

'Zal ik mijn haar los laten?'

'Ik vind het wel mooi.' Donja gooit een paarse jurk over haar hoofd. Haar paarse haarextentions passen er perfect bij.

'Waarom hadden je ouders die avond nou eigenlijk de politie gebeld?' vraagt Donja ineens.

'Ze waren als de dood dat er iets ergs was gebeurd. Zo in een oude fabriekshal op een verlaten industrieterrein.'

'Maar het was gewoon in *Masjien Tien*. Daar is toch niks engs mee?'

'Voor ons niet, maar voor hen dus wel.'

'Dachten ze dat je ontvoerd was?'

‘Misschien, en omdat ze al eerder contact hadden met de politie, hebben ze die gebeld voor advies of zo. De politie besloot mee te gaan. Daarom waren ze ook later. Oh, ik dacht écht dat ze niet zouden komen.’
‘En je mag nu wel goth zijn?’
‘Toen we thuiskwamen hebben we tot ’s avonds laat zitten praten, en de dagen daarna ook steeds weer. Ik heb dingen gezegd, die ik nooit durfde en wel honderd keer heb ik uitgelegd hoe ik me voel als ik zo’n jurk aan heb. Dat ik me dan pas echt mooi en sterk voel.’
‘En toen mocht je?’ vraagt Donja.
‘Een beetje. Voor een gewone dag zullen ze het nooit normaal vinden.’
‘Maar je mag deze jurk nu toch aan? En naar de party?’
‘Omdat ik het belangrijk vind. En zolang ik het niet iedere dag aan heb.’
‘Hoe vaak mag je het dan?’
‘Je lijkt mijn vader wel. Die wilde ook afspreken hoeveel dagen per week, maar dat kan ik echt niet hoor.’
‘Ingewikkeld.’
‘Och, mij maakt het niet uit, soms is een spijkerbroek ook best.’
‘Brr, ik moet er niet aan denken.’
‘Zijn we toch niet hetzelfde,’ lach ik.
‘Da’s waar, maar ik ben wel blij dat we weer vriendinnen zijn.’
Donja trekt een zwarte lijn onder haar ogen. ‘Toen ik je zag bij Geertje dacht ik dat het nooit meer goed zou komen.’
‘Je wilt niet weten wat ik dacht, toen ik je belde. Ik was zo blij dat Dinky zich ermee bemoeide en dat je naar hem luisterde.’ Trots kijk ik in de spiegel. Voor het eerst is het me gelukt mijn gezicht mooi

egaal blank te maken, zonder dat het er als een masker uitziet.
'Mag ik vanavond jouw kisten lenen?' vraagt Donja.
'Je mag ze zelfs hebben.' Ik pak Geertjes kistjes uit mijn kast. 'Ik vind mijn laarsjes het mooist.'
'Echt waar? Mag ik ze echt?'
'Ja, voor al die keren dat ik jouw jurk leende.'
'Te gek,' zegt Donja en ze omhelst me.
'Het is wel maat 42 hoor.'
'Daar weet ik wel iets op.' Donja pakt de zakdoekjes en propt ze voorin de schoen.
'Dan zal ik je wat beloven.' Ik hef mijn vingers in een V. 'Ik zal ze er op de dansvloer niet uit trekken. Weet jij eigenlijk of Ard vanavond komt?' Deze vraag is al een paar keer door mijn hoofd geschoten.
'Nee, ik heb het niet gehoord van Dinky. Zal ik hem appen?'
'Kan je doen... of zal ik gewoon...' Ik vis mijn telefoon uit mijn tas.
'Bel jij Dinky?' vraagt Donja.
'Nee. Ard.' Ik verzamel alle moed die ik heb en kies zijn nummer. Ik hoop zelfs dat hij opneemt. Donja kijkt me met open mond aan.
'Pasca?' Zijn stem klinkt verrast.
'Ja,' antwoord ik, zoekend naar wat ik verder wil zeggen.
'Super dat je belt, wil je...'
'Nee. Ik wil niks. Tenminste, niet met jou.'
Donja steekt haar twee duimen naar me omhoog. Dat geeft me de moed om door te gaan.
'Ik wil je laten weten dat je voor mij niet meer bestaat. Je bent een respectloze nepgoth. En je moet met je vingers afblijven van

meisjes zoals ik. Ik hoop je nooit meer te zien.' Zonder op zijn reactie te wachten druk ik het gesprek weg. Pfff, wow. Ik staar naar mijn telefoon, alsof die het gesprek voor me heeft gevoerd.

'Super!' Donja omhelst me. 'Ik had nooit gedacht dat je dit zou durven.'

'Ik ook niet,' beken ik trots. 'Alleen weet ik nou nog niet of hij vanavond komt.' Ik loop nog een keer naar de spiegel en zet mijn eyeliner extra aan.

'Dan vraag ik het Dinky toch even. Ik wil het ook wel weten.'

'Eerlijk gezegd hoop ik dat hij er vanavond niet is. Ik weet niet zeker of ik ook zo stoer ben als ik hem in real life zie.'

'Ben je helemaal niet meer verliefd op hem?'

'Het is zo stom, maar soms weet ik het niet. Ik wil hem vergeten. Ik kan hem niet vergeven, maar ik weet ook hoe geweldig ik me heb gevoeld. Als ik normaal nadenk dan weet ik het wel. Nooit meer Ard. Meestal voelt het ook zo, maar soms even niet. Eigenlijk vind ik het nog het meest jammer dat ik mijn foto's nooit meer van hem zal krijgen. En dat hij de grote amulet heeft. Daar versiert hij straks vast een ander mee.'

'Ja, naar die foto's was ik ook wel benieuwd.'

'Ze zijn echt supermooi, maar ik zal altijd aan dat idiote einde moeten terugdenken als ik ze zie. Misschien is het maar beter zo.'

'Dan moet je vanavond maar op zoek naar een ander. Ben je alles zo vergeten.'

'Gewoon zonder vind ik ook prima hoor.'

'Ik weet anders wel iemand.'

'Net als de vorige keer zeker.'

'Nee echt, deze is 100 procent veilig, en hij vindt je leuk.'

‘Wie dan?’
‘Vorige keer was hij er ook. Die met die zwarte broek.’
‘Daar heb ik wat aan. Minstens 90 procent had een zwarte broek aan.’
‘En een wit overhemd.’
‘Dat schiet op. En hoe weet je dat hij me leuk vindt?’
‘Dat heeft hij gezegd.’
‘Op het feest?’
‘Nee, later. Gister ook nog.’
‘Hè, wie is het dan? Vertel!’
‘Zijn naam begint met een D.’
‘Een D?’
‘Ja, en dan een i.’
‘Di... Echt?’
Donja knikt.
‘Kunnen jullie samen de mooiste songs schrijven. Eén fan hebben jullie al.’
Het is net of mijn hart een keer overslaat. Dinky? Ik had me voorgenomen dat ik even niks meer met jongens wilde.

De toon van Donja’s telefoon onderbreekt mijn overpeinzing.
‘Pfff, wat een loser.’ Donja leest haar schermpje. ‘Ard heeft Dinky net geappt dat hij niet komt.’
‘Ieuw, hij is nog erger dan ik dacht. Maar ik ben weer happy. Let’s party vanavond! Komt Beer eigenlijk?’
Abrupt kijkt Donja de andere kant op. Ze zegt niks.
‘Donja?’
‘Het is uit.’
Ik versta haar maar net.

‘O, shit. Waarom heb je dat niet gezegd?’
Donja haalt haar schouders op.
‘Ik was even niet belangrijk.’
‘Jawel, natuurlijk wel. Wie heeft het uitgemaakt?’
Donja’s zwijgen maakt duidelijk dat zij het niet was.
‘Wat waardeloos. Weet je ook waarom?’
‘Hij was het gewoon zat. Wilde niet gebonden zijn. De loser.’
‘OMG, wat een sukkel. Dus je gaat ook niet meer naar hem toe?’
‘Dat weglopen was ik toch al niet meer van plan. Het was niet nodig. Ik had het er nog een keer met mijn moeder over gehad. Bijna was ik zover dat ik bij hem mocht blijven slapen.’

‘Zijn jullie klaar?’ Mama bonkt op de deur. ‘Anders komen jullie te laat.’
‘Bijna,’ roep ik.
‘Ja, kom. We gaan lekker met z’n tweeën feesten vanavond. We hebben helemaal geen jongens nodig. Behalve Dinky dan misschien,’ knipoogt Donja.
Als we de gang inlopen zie ik dat mam iets wil zeggen, maar kennelijk bedenkt ze zich. Als een haas schiet Luc voorbij, gekleurde strepen van een verentooi achter zich latend.
‘Wow, een indiaan,’ lacht Donja.
‘Luc wil dat ik nooit meer wegga. Iedere dag uit school trekt hij zijn indianenpak aan en wil hij dat ik pap en mam zo gek probeer te krijgen dat hij zo naar school mag.’
‘Lachen.’
‘Ach ja, soms is hij wel een schatje.’

Na een kort ritje draait mama haar auto het terrein van *Masjien Tien* op.

'Weet je zeker dat papa je niet moet komen halen?'
'Nee hoor, Donja's moeder haalt ons om één uur.'
'Goed, maar bel als er iets is. Dan komen we je halen.'
'Is goed. Dank je wel mam.'
'Dank u voor de lift mevrouw Van Donkerloods.'
'Graag gedaan meiden. Fijne avond.'
Als we uitstappen hoor ik de muziek uit de fabriekshal over het terrein golven. Ik voel kriebels in mijn buik. Straks zie ik Dinky, en nu weet ik het. Donja en ik dansen in het donker naar de schijnwerpers bij de ingang.

Bijna zwevend lopen we de fabriekshal in, die nooit meer gewoon *Masjien Tien* zal zijn. Binnen lijkt het nog donkerder dan buiten. Sommige plekken zijn hel rood en paars verlicht. Midden in de hal staat nog altijd de stellage met stalen trappen rondom een gigantische machine. Mijn tweede gothic party, dit keer helemaal als Pasca.

Die nacht als Donja al slaapt, ik haar rustige ademhaling hoor en Dinky's complimenten nog in mijn oor tintelen, dicht ik:

Wish I were
in the middle
of somewhere
The best place to be on earth
with myself
with every-one I love
Every-one, everywhere

any time, always